Żyj zdrowo
i aktywnie

Copyright for this edition © 2014 by Burda Publishing
Polska Sp. z o.o. Spółka Komandytowa

Copyright for the text © 2014 by Anna Lewandowska

Burda Publishing Polska Sp. z o.o. Spółka Komandytowa.
02–674 Warszawa, ul. Marynarska 15

Dział handlowy: tel. (48) 22 360 38 38 | fax (48) 22 360 38 49
Sprzedaż wysyłkowa: Dział Obsługi Klienta, tel. (48) 22 360 37 77

Redakcja: Zofia Rokita
Korekty: Redaktornia.com, Zofia Smuga
Projekt graficzny, skład i łamanie: Maciej Szymanowicz
Zdjęcia na I stronie okładki: Marta Wojtal
Współpraca: Monika Rebizant
Redaktor prowadząca: Agnieszka Radzikowska
Redaktor techniczny: Mariusz Teler

Konsultacja dietetyczna: Beata Smulska

Zdjęcia: Marta Wojtal – s. 4, 5, 14, 29, 97, 113, 115, 116, 117–120,
123–131, 134–135, 139, 141, 142–143, 150, 152–153, 156–157,
158, 162–163, 165, 172, 176–177, 178, 182–183, 187, 188–189,
191, 192–193, 194, 196–197, 200–201, 203, 205, 211, 220, 221,
233, 236–251, 253, 261; Witold Kwieciński – s. 11, 213, 215, 217;
Przemek Chudkiewicz – s. 21, 255; Jacek Poremba – s. 6, 272

Pozostałe zdjęcia pochodzą z archiwum prywatnego i z Shutterstock.

Superlinia

Autorka i wydawnictwo dziękują Superlinii za zgodę
na opublikowanie tabeli IG i ŁG, a także SOHO Factory,
Mińska 25, Warszawa za wypożyczenie krzeseł do sesji.

Druk: Białostockie Zakłady Graficzne

ISBN: 978–83–7778–625–3

w w w . b u r d a k s i a z k i . p l

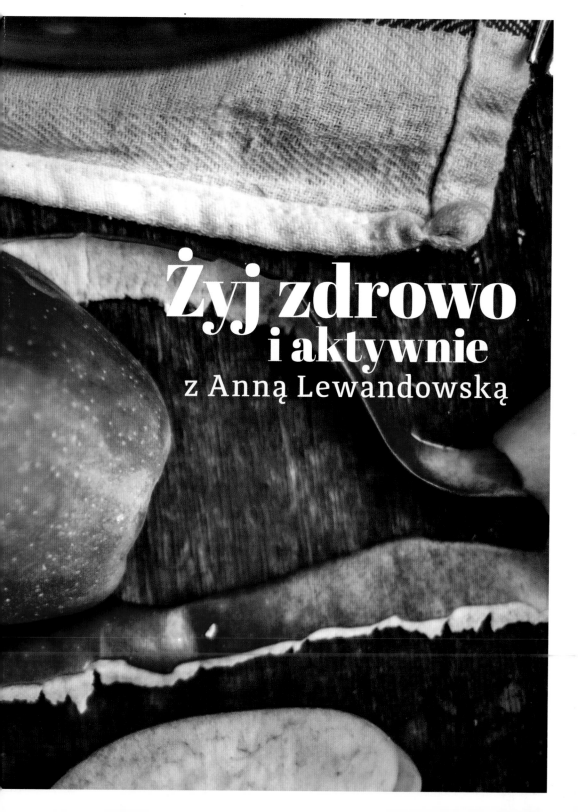

Żyj zdrowo
i aktywnie
z Anną Lewandowską

SPIS TREŚCI

Wstęp 8
Dlaczego warto zdrowo żyć? 12
Jak się przestawić na zdrowe życie? 22
O odchudzaniu 30

JEDZENIE → *1. filar zdrowia* 36
Układ trawienny 38
CO JEMY 43
▸ Węglowodany 44
▸ Błonnik 46
▸ Białka 48
▸ Tłuszcze 54
▸ Witaminy 58
▸ Minerały 76
Analiza pierwiastkowa włosów 84
Suplementacja 86
ŁĄCZENIE PRODUKTÓW ŻYWNOŚCIOWYCH 91
Jak komponować posiłki 92
▸ Indeks glikemiczny 100
▸ Czarna lista 106
DETOKS 110
PRZEPISY 114

RÓWNOWAGA WEWNĘTRZNA → *2. filar zdrowia* 204

SPORT → *3. filar zdrowia* 210
Karate tradycyjne – sztuka życia 214
TRENUJ! 222
Profesjonalna odnowa biologiczna 234
Przykłady treningów 236
▸ **Trening 1.** wzmacniający mięśnie brzucha 236
▸ **Trening 2.** z hantelkami 240
▸ **Trening 3.** wzmacniający z obciążeniem własnego ciała 246
BIEGAMY! 252

Zasady zdrowego życia 263
Podziękowania 272

Moda to zjawisko, które przemija.

a ja marzę,
żeby ludzie
żyjący zdrowo
stali się większością
w społeczeństwie.

na stałe.

Wstęp

healthy plan by Ann **hpba.pl**

Już jako nastoletnia sportsmenka zainteresowałam się dietetyką. Nie chodziło o odchudzanie, bo jako sportowiec nie miałam kłopotów z sylwetką. Chciałam wiedzieć, w jakim stopniu to, co jem, wpływa na moją formę.

Sporo czytałam, a książkowe mądrości natychmiast sprawdzałam we własnej kuchni. Potem były studia, na których ostatecznie przekonałam się, w jak wielkim zakresie sama mogę decydować o swoim zdrowiu. Byłam zdumiona, kiedy okazało się, że właściwe odżywianie poprawia nie tylko moją sportową formę, lecz także reguluje nastrój i znacznie łagodzi alergie. Temat zdrowego życia we wszystkich jego aspektach stawał się powoli moją pasją. Internet pozwolił mi się dzielić nią na blogu.

Mam nadzieję, że ta książka namówi kolejne osoby do zdrowego stylu życia. Jest w niej garść potrzebnej wiedzy i dużo powodów, dla których warto zmienić swoje życie. Liczę na to, że niniejsza książka sprawdzi się jako motywator i wskazówka.

Skąd pochodzą informacje w niej zawarte? Między innymi ze źródeł, które wymieniam w bibliografii. Są to podręczniki akademickie oraz publikacje naukowców, którzy – opierając się na swoich i cudzych badaniach – postanowili przekazać innym wiedzę o wpływie odżywiania i sportu na zdrowie. Z takich i podobnych książek oraz z artykułów w internecie, sygnowanych przez fachowców, a także z bardzo wielu rozmów z lekarzami praktykami i dietetykami zaczerpnęłam wiedzę i motywację do zmian w moim życiu.

Ale inspirują mnie też doświadczenia znajomych, ludzi w bardzo różnym wieku, sportowców i osób trenujących amatorsko, którzy kiedyś postawili na zdrowy

TO JEST KSIĄŻKA DLA OSÓB, KTÓRE SZUKAJĄ ODPOWIEDZI NA PYTANIE „JAK ŻYĆ ZDROWO?".

styl życia i uzyskali niesamowite efekty. Niektórzy pozbyli się uporczywych przeziębień, inni – kłopotów z bezsennością, jeszcze inni zwalczyli lub znacząco złagodzili objawy dokuczliwych chorób. Niektórzy pozbyli się nadwagi, natomiast wszystkim poprawił się wygląd. Ich doświadczenia oraz moje własne dobre samopoczucie udowodniły mi i dowodzą codziennie, że warto zawalczyć o swoje zdrowie. Ja już zapomniałam o alergiach z dzieciństwa, o astmie, która mnie wtedy męczyła. Byłam chuchrem, które łapało każdy zarazek i wciąż się przeziębiało. To już za mną. Sport oraz właściwy dla mnie jadłospis dały mi zdrowie i radość. Wiem też, że jeśli prowadzę takie życie, zapobiegam chorobom, także tym zwanym cywilizacyjnymi: cukrzycy, nadciśnieniu, miażdżycy, depresji.

Ta książka jest dla osób, które szukają odpowiedzi na pytanie „jak żyć zdrowo?". Próbuję podpowiedzieć, co i jak warto jeść, jak się uaktywnić sportowo. To bardzo szeroki zakres wiedzy, więc zamieszczam tu tylko podstawy, piszę o sprawach najistotniejszych i liczę na to, że czytelnicy już świadomi, jak wiele zależy od nich samych, będą dalej poszukiwać własnego sposobu na zdrowie.

Tą książką, mój drogi Czytelniku, namawiam Cię do zdrowego trybu życia. Kiedyś w jednym z wywiadów powiedziałam, że chciałabym, razem z rosnącą grupą ludzi myślących podobnie jak ja, wprowadzić modę na zdrowie. Ale teraz to odwołuję. Bo moda to zjawisko, które przemija. A ja marzę, żeby ludzie żyjący zdrowo stali się większością w społeczeństwie. Na stałe.

9

healthy plan
by ann

Dlaczego
warto zdrowo żyć?

Zdrowy styl życia to codzienne przestrzeganie zasad, które pozwalają cieszyć się dobrym samopoczuciem, dają energię do działania i zapobiegają wielu schorzeniom. Sformułowanie „przestrzeganie zasad" może niektórym kojarzyć się z rygorystycznym reżimem, tak jak kojarzą się np. restrykcyjne diety odchudzające. To błąd. Owszem, zdrowy styl życia wymaga przystosowania się do pewnych reguł w codziennym życiu. Jeśli jednak naprawdę chcesz żyć długo i zdrowo, to te reguły nie będą wrogiem, z którym musisz codziennie walczyć. **Kiedy je wprowadzisz na stałe, po prostu staną się Twoim przyzwyczajeniem.**

Jakie korzyści da Ci zmiana życia na zdrowe? Ogromne!

Wymienię tylko niektóre, a Ty samodzielnie wybierz te najważniejsze dla Ciebie – te, które mogą stać się podstawą Twojej motywacji.

JEŚLI ŻYJESZ ZDROWO, MOŻESZ:

- żyć dłużej
- stracić na stałe zbędne kilogramy
- wyglądać młodziej
- mieć energię do działania
- mieć dobre samopoczucie
- uniknąć cukrzycy
- obniżyć ryzyko nowotworów
- uniknąć impotencji
- zapobiec miażdżycy i chorobom serca
- uniknąć udaru
- obniżyć stężenie „złego" cholesterolu
- wypracować i zachować dobrą kondycję, sprężystość mięśni i giętkość ciała
- zachować mocne kości
- uregulować ciśnienie krwi
- obniżyć ryzyko wystąpienia depresji
- obniżyć ryzyko wystąpienia choroby Alzheimera
- zachować dobry wzrok

- zmniejszyć konieczność przyjmowania leków
- uniknąć wielu zabiegów chirurgicznych
- złagodzić już istniejące choroby lub się ich pozbyć
- zwiększyć odporność organizmu
- żyć radośniej.

Tu dopiszesz własne korzyści, które na pewno dostrzeżesz po zmianie trybu życia :)

13

Krótka, ale imponująca lista, prawda? I wystarczy tylko zmienić sposób odżywiania i zadbać o umiarkowaną aktywność fizyczną, a te korzyści mogą być Twoje. Samodzielnie zdecyduj, czy ta lista Cię przekonuje.

To Twoje życie i Ty codziennie ustalasz jego jakość na teraz i na potem – za wiele lat.

Jeśli chcesz zmienić swoje życie na zdrowe, to będą Ci bardzo potrzebne:

Świadomość, że Twoje zdrowie zależy od Ciebie

Sądzisz, że skoro jesteś przed trzydziestką, to na myślenie o zdrowiu masz czas? No pewnie, zdrowie po prostu jest. A choć wiek dojrzały czasem kojarzysz z chorobami (rodzice, dziadkowie itd.), to Ty masz przecież jeszcze 100 lat, zanim ten czas nadejdzie! Co prawda już teraz się łapiesz na tym, że czasem trudno Ci się uczyć lub pracować, bo koncentracja siada po 15 minutach. A Twój kolega poskarżył się ostatnio, że z trudem zasypia, ale to przecież detale. Namawiam – skojarz te szczegóły, rozejrzyj się wokół siebie, zastanów się: kto lepiej niż Ty sam zadba o Twoje zdrowie? Pytanie dotyczy wszystkich, także osób po czterdziestce, pięćdziesiątce, siedemdziesiątce... Każdy czas jest dobry, by zacząć zdrowo żyć. Jednak im wcześniej, tym lepiej.

Świadomość własnego ciała

Na co dzień w ogóle o nim nie myślisz. Przyjmujesz, że jest, i już. Czasem coś zaboli, wtedy skupiasz uwagę na fragmencie, któremu coś dolega. A przecież ciało to genialny i bardzo skomplikowany mechanizm, który natura daje nam raz na całe życie. Ta piękna maszyneria stara się służyć Ci jak najlepiej, ale jeśli jest zaniedbana, w końcu ulega awarii – zaczyna chorować. Często wysyła sygnały, które lekceważysz – ból, skurcze, zgaga, kłopoty ze skórą lub obniżony nastrój to wyraźne dzwonki alarmowe. Słuchaj ich i reaguj. I polub swoje ciało, nawet jeśli uważasz, że jego wygląd jest daleki od ideału. Pożegnaj używki, odżywiaj się prawidłowo, trenuj regularnie, a korzystne zmiany w wyglądzie przyjdą same. Przede wszystkim zaś wygrasz wtedy zdrowie i energię do życia.

Wyobraźnia

Zamknij oczy i zobacz siebie za 5, 10, 20 lat i więcej. Być może to nie jest pierwszy raz, kiedy zastanawiasz się, w jakim punkcie za jakiś czas będą Twoja kariera, rodzina lub życie towarzyskie. A umiesz rozważyć swoją przyszłość w kontekście Twojej formy fizycznej i psychicznej? Pomyśl – czy uda Ci się osiągnąć cele zawodowe lub pełnię szczęścia, jeśli Twoje zdrowie zacznie szwankować? Cierpienie związane z ewentualnymi chorobami, stopniowa utrata energii i osłabienie koncentracji mogą skutecznie uniemożliwić realizację Twoich planów. Zapewne w przyszłości widzisz siebie w pełni zdrowia, z uśmiechem na twarzy i nienaganną sylwetką – super! Zadbaj, by tak było – już teraz zacznij żyć zdrowo.

Wiedza

To czynnik, który dla mnie jest jednym z podstawowych w prowadzeniu zdrowego życia. Kiedy jako nastolatka przeczytałam, że smażone jest niezdrowe, koniecznie chciałam wiedzieć dlaczego – przecież wszyscy smażą i żyją! Zaczęłam szukać odpowiedzi, a przy okazji znajdowałam kolejne rewelacje. Dowiadywałam się coraz więcej o cechach różnych produktów, ale chciałam wiedzieć, czemu to jest dobre, a tamto – szkodliwe. Wiedza o funkcjonowaniu organizmu pomaga mi codziennie podejmować właściwe wybory żywieniowe i motywuje do systematycznych ćwiczeń. Ja po prostu już nie mam ochoty na sklepowe słodycze i inne szkodliwe produkty. Także moje kubki smakowe reagują inaczej i wysyłają mi sygnał: „dobre!" przede wszystkim w odniesieniu do zdrowych dań. No i nie ulegam namowom na to, co dla mnie szkodliwe.

Spokój

Dbałość o wewnętrzną równowagę jest jednym z filarów zdrowia. Żyjemy w czasach pośpiechu, wielozadaniowości i frustracji towarzyszącej tym zjawiskom. Nie namawiam Cię do rezygnacji z kariery, zaniedbania rodziny lub porzucenia pasji. Zachęcam, by każdy z Was w tym wszystkim znalazł czas na relaks, aktywność fizyczną i dbałość o odżywianie. Znam pracoholika, który w końcu musiał przyznać, że po latach zarabia już tylko na lekarzy i kolejne terapie. Zwolnił, zmienił życie i teraz cieszy się nim razem z bliskimi, których omal nie stracił.

Zatrzymaj się raz dziennie, pomyśl miło o sobie, pozwól sobie na marzenia. Wiem, to banały, ale wiele z nich niosło kiedyś konkretną treść. Chwila dla siebie, trochę medytacji, miła godzina z bliskimi spędzona nie przy telewizorze, ale na rozmowie lub zabawie są bezcenną inwestycją w Twoją psyche.

Spokój bardzo przyda się także w samym procesie wprowadzania zmian na lepsze. Przestawianie się na zdrową żywność należy wprowadzać stopniowo, przyzwyczajać siebie i swój organizm do nowego jadłospisu. To samo dotyczy aktywności fizycznej. Jeśli potraktujesz proces zmian jak pole bitwy, którą musisz wygrać natychmiast, to prawdopodobnie nabawisz się kolejnych frustracji i szybko się poddasz. Podejdź do tego spokojnie, a znajdziesz dużo frajdy w osiąganiu kolejnych celów.

Szacunek do siebie

Słowo „szacunek" ostatnio wypada z obiegu. Szkoda. To ważne słowo. Namawiam Cię do szanowania samego siebie. Jeśli wykształcisz w sobie tę cechę, to znacznie łatwiej będzie Ci dbać o jakość Twojego życia.

Bardzo dziękuję za szybką odpowiedź :). Wprzyszłym tygodniu planuję wizytę a teraz trochę się wystraszyłam...

 Syli   Odpowiedz
25 maja 2014 (Edit)

Ehh
mnie to chyba aby zmotywować musiałabyś osobiście przyjść, ściągnąć z fotela, kopnąć w d...
i na smyczy wyprowadzić abym pobiegała ;(czuję się sama z sobą fatalnie, ale chyba mi tyłek
wrósł... czy to już objaw depresji klinicznej?

Trudny komentarz, prawda? Już jego mocny język pokazuje, jak bardzo Syli nie lubi i nie szanuje siebie. Dostaję wiele podobnych e-maili. Bywa, że dziewczyny określają siebie i swoje ciało wręcz wulgarnie. To przykre. I szkodliwe, bo w ten sposób nakręca się złe emocje. I powstaje błędne koło: „nie pomogę sobie, bo nie warto pomagać osobie, której nie lubię czy wręcz nie znoszę"; a na przeciwnym biegunie jest: „nie zmieniam niczego w swoim życiu, więc siebie nie lubię". Wniosek jest prosty: zacznij od szacunku do siebie. Zasługujesz na niego, bo jesteś niepowtarzalnym pełnowartościowym człowiekiem, któremu Twoja uwaga i szacunek się po prostu należą. Polub siebie bez względu na to, ile niedoskonałości w sobie widzisz, **potraktuj siebie jak swoje własne dziecko**. I pomóż sobie!

Bez zmiany nastawienia do siebie nie będzie dobrych zmian w życiu. **Tylko Ty** możesz zmienić to nastawienie. To bywa bardzo, bardzo trudne. Ale efekty są wspaniałe: łatwiej się żyje, jest się nareszcie szczęśliwym i – co ważne – zmienia się reakcja otoczenia na Ciebie. Ludzie czują Twoją dobrą energię i odpowiadają taką samą – sprawdzone po wielekroć! :)

Zaufanie

Myślę tu o zaufaniu do autorytetów naukowych, lekarzy i dietetyków oraz badaczy, którzy w ostatnich latach dowiedli i nadal dowodzą, że właściwa dieta połączona z dbałością o równowagę wewnętrzną oraz z umiarkowaną i systematyczną aktywnością fizyczną ma ogromny, wręcz decydujący wpływ na jakość życia i zdrowie. Zauważyłam, że są wśród nas osoby, którym trudno się na to zaufanie zdobyć. Przyzwyczajenia z dzieciństwa są dla nich często jedyną wskazówką przy wyborach żywieniowych. Nie byłoby w tym nic złego, gdyby produkty na sklepowych półkach były takie same jak te, które kiedyś jedli nasi dziadkowie i rodzice. Niestety – w obliczu coraz większego uprzemysłowienia w wytwarzaniu żywności, modyfikacji genetycznych, pompowania chemicznych „ulepszaczy" w naturalne produkty i karmienia zwierząt hodowlanych chemią –

argumentacja typu: „mój dziadek całe życie jadł białe pieczywo i smalec i żyje długo" nie ma racji bytu. Spotkałam też zwolenników teorii spiskowych, którzy w każdym artykule dotyczącym zdrowego żywienia upatrują zmowy koncernów spożywczych i farmaceutycznych, usiłujących sztucznie nadmuchać nowe potrzeby potencjalnych klientów. No cóż, rzecz w tym, że większość tekstów o prawidłowej diecie wyklucza z niej produkty wysoko przetworzone oraz stosowanie suplementów bez konsultacji z lekarzem, więc wielkie koncerny raczej tracą, niż zyskują, na upowszechnianiu wiedzy o zdrowiu.

Może już pora uwierzyć ekspertom? Mnie jeszcze do eksperta daleko, wciąż się uczę, ale zaufałam autorytetom i na przykładzie swoim oraz znajomych mogę z mocą powiedzieć: warto takie zaufanie budować. Bez niego przestawianie się na zdrowy tryb życia będzie rodzić frustracje, bo bez wewnętrznej zgody na działanie nie ma ono sensu.

Odwaga

Tak, odwaga jest niezbędna. Nie wszystkim. Ale jest sporo osób, które boją się zmian. W dzisiejszym niespokojnym świecie takich ludzi jest coraz więcej. Przyzwyczajenia i nawyki tworzą pewien kokon bezpieczeństwa, poza który strach wyjść. Dochodzi lęk przed porażką, lęk, że się nie uda. Irracjonalny, bo cóż może się nie udać? Nawet jeśli nie zrobisz od razu zamierzonej porcji ćwiczeń, to na pewno wykonasz taki zestaw za trzy tygodnie lub trzy miesiące. Podobnie jest ze strachem przed opinią innych. „Nie będę biegać, bo ludzie mnie wyśmieją, jak dostanę zadyszki", „nie pójdę do klubu fitness, bo tam chodzą same szczupłe dziewczyny i muskularni faceci, więc będę się czuć strasznie" itd. Osoba myśląca w taki sposób siedzi więc w domu, zajada frustracje kolejną porcją lodów i pozostaje na drodze donikąd.

TRZYMAM KCIUKI!

POROZMAWIAJ ZE SOBĄ UCZCIWIE O SWOICH LĘKACH. ZAPYTAJ SIEBIE, CZY TE LĘKI MAJĄ SENS I DOKĄD CIĘ PROWADZĄ. WYRZUĆ STRACH PRZEZ OKNO I ZAŁÓŻ DRES. ZMIEŃ SWOJE ŻYCIE NA LEPSZE.

Dodatkowo przydadzą się:

Wsparcie bliskich

Piszę, że wsparcie bliskich przyda się dodatkowo, bo można oczywiście wprowadzić zdrowe zasady w swoje życie samotnie. Dotyczy to zwłaszcza osób, które same prowadzą gospodarstwo domowe. Ale są wśród nas wojownicy, którzy – mimo marudzenia lub wręcz sprzeciwu rodziny mieszkającej razem z nimi – trwają przy zdrowym stylu życia.

Oczywiście, najłatwiej jest przestawiać się na dobre reguły wraz ze wszystkimi domownikami. Bardzo cenne staje się to zwłaszcza w przypadku dzieci. Jeśli uczą się dobrych nawyków od małego, mają łatwiej w życiu nastoletnim i dorosłym, kiedy często trzeba odmawiać znajomym uczestnictwa w spożywaniu szkodliwych pokarmów i napojów. Jednak nawet jeśli domownicy wyrażają sprzeciw – nie poddawaj się. Wierzę, że będziesz dla bliskich inspiracją. Nie szkodzi, że z początku będą patrzeć na Ciebie jak na dziwoląga. Jak zobaczą efekty Twoich przemian – sami ruszą do przodu. Coś o tym wiem.

Jeśli rodzina jest na „nie", postaraj się o wsparcie przyjaciół i znajomych. Wymienianie się przepisami wzbogaca zabawę w kuchni, a wspólne treningi są nie do przecenienia.

Wiara w siebie

Potrzebne jest minimum tej wiary, żeby zacząć. Bez tego będzie trudno. Niestety, istnieją osoby, które pozornie są przekonane do zdrowego życia, ale wciąż nie wprowadzają u siebie żadnych zmian. Znajdują milion wymówek, by nie ćwiczyć, tysiące usprawiedliwień dla kolejnej paczki ciastek, a czasem wygłaszają niemal naukowe tezy, aby udowodnić korzyści z palenia papierosów lub picia alkoholu oraz przedstawić zalety posiadania dużej nadwagi. Takie osoby nie wierzą, że im się uda, boją się zmian, same nakręcają spiralę niemożności.

Minimum wiary w siebie i przekonanie, że robi się coś dobrego, pozwalają mieć w nosie opinie innych na temat wyglądu i kondycji. Mało tego, okazuje się, że wokół nas jest sporo ludzi, często obcych, którzy nas dopingują. A im dłużej trenujemy, im częściej nie ulegamy starym pokusom, tym mocniej wierzymy w siebie. Z czasem może się okazać, że nie tylko tryb życia chcemy zmienić i w nim trwać. Coraz lepsze mniemanie o sobie pozwala na inne dobre zmiany w życiu i podjęcie decyzji, które do tej pory przerażały.

Cierpliwość

Proces zmiany nawyków, które utrwalały się latami, bywa długi. Trudno z dnia na dzień przekonać własny umysł i ciało, że nowa dieta i systematyczne treningi są lepsze niż nasze dotychczasowe zwyczaje. Wiele codziennych zachowań to już odruchy, robimy to czy tamto bez zastanowienia, tylko dlatego że jesteśmy do tego przyzwyczajeni. Podobnie funkcjonują nasze wieloletnie skojarzenia, np. odpoczynek = zaleganie na kanapie przed telewizorem lub pocieszenie = butelka alkoholu albo pudło ciastek. Żeby zmienić złe nawyki, trzeba sobie sporo przestawić w głowie, a to wymaga cierpliwości.

Cierpliwość potrzebna jest także w oczekiwaniu na efekty przemian. Wiele osób, które decydują się np. na aktywność fizyczną, chce już po tygodniu zobaczyć w lustrze zgrabniejszą sylwetkę. No, niestety, po tygodniu trudno o spektakularne efekty. Bywa odwrotnie – ciało broni się przed dodatkowym wydatkiem energii, robi zapasy i tyje. Dlatego warto od razu inaczej to wszystko sobie poustawiać w głowie. Zamiast myśleć o najbliższych trzech miesiącach, lepiej wyobrażać sobie, jak wspaniale będziemy się czuć za rok. To nic, że będziemy mieli o rok więcej, ale będziemy pięć lat młodsi duchem i ciałem. I warto działać bez cotygodniowego ważenia lub mierzenia. Po prostu cieszyć się treningami i życiem. Cierpliwie :)

Jak się przestawić na zdrowe życie?

Po pierwsze, trzeba zadbać o czynniki wymienione w poprzednim rozdziale. Jeśli będziesz nad nimi pracować i stale je rozwijać, to powinny być wystarczającym impulsem do zmiany nawyków i utrzymania nowych – tych zdrowych.

Jeśli jednak mimo pracy nad sobą nadal masz kłopoty ze zmobilizowaniem się do ćwiczeń lub rezygnacji ze szkodliwego jedzenia, to warto poszukać motywacji w inny sposób.

Zdrowie jako Twój cel zmian może być mało wyrazistym motywatorem. Dlatego najczęściej skuteczne są mniejsze cele, które można zmierzyć, zobaczyć i poczuć w miarę szybko. To może być utrata nadwagi, chyba najlepiej motywujący cel dla początkujących adeptów zdrowego życia (jeśli nadwaga jest duża, podziel ją na mniejsze cele do osiągnięcia). Jeśli nie masz nadwagi – celem może być poprawa sylwetki, zadbanie, by to, co obwisłe, stało się jędrne, a to, co słabe – silne i mocne.

Mimo że na blogu staram się inspirować do zmian na stałe, bo uważam, że tylko takie dadzą pełnię zdrowia, sił i energii, to wprowadzam motywatory typu „akcje – wakacje" i namawiam w nich do poprawy wyglądu „do urlopu". Tak jest po prostu łatwiej. Można sobie wyobrazić siebie na plaży – swoją zgrabną sylwetkę i jędrne ciało, można wyobrazić sobie, jak chętnie przyjmujemy zaproszenie do siatkówki plażowej, bez zastanawiania się, czy widać nam oponki i czy damy radę kondycyjnie. Tak zwizualizowany cel jest absolutnie do osiągnięcia i w tym tkwią jego siła i atrakcyjność.

A wizualizacja to kolejna sztuczka, którą warto stosować. Wyobrażanie sobie siebie, jak przebiegamy bez większego zmęczenia pół godziny, pomaga początkującym biegaczom przebrnąć straszne zadyszki. Kiedy wreszcie przebiegniesz te swoje pierwsze 30 minut i będzie Ci się chciało więcej – możesz sobie wrzasnąć „udało się!" i szybko ustalić nowy cel.

No właśnie – cele sportowe są świetnym motywatorem i dają praktycznie nieograniczone możliwości w kreowaniu wciąż nowych wyzwań. Kiedy osiągniesz cele biegowe (niektórym zajmuje to nawet kilka lat), możesz spróbować z pokonywaniem dystansów pływackich. Stąd już tylko „krok rowerowy" będzie dzielił Cię od startu w triatlonie. Ćwicząc jogę, na każdej sesji poprawiasz gibkość i sprężystość ciała, a wykonanie poszczególnych asan możesz wciąż ulepszać, próbując też tych coraz trudniejszych. Można również zmierzyć się z dyscypliną sportu, której do tej pory się nie próbowało, i tam znaleźć nowe wyzwania i emocje. Świetnym treningiem jest taniec, który też można długo doskonalić (na przykład z życiowym partnerem!), a szkół tańca mamy na szczęście coraz więcej.

Gorąco namawiam wszystkich do takiego sposobu motywowania się. Jestem bowiem odrobinę zaniepokojona, że dla wielu osób tylko poprawa wyglądu stanowi bodziec do treningów. Takie podejście czasem prowadzi donikąd. Są bowiem osoby, które po założeniu ciuchów w wymarzonym rozmiarze spoczywają na laurach. Powód jest prosty – utrata motywacji. Miała być sylwetka M lub S – jest.

Nie nastawiaj się na męczarnię, którą musisz przetrwać do czasu uzyskania wymarzonej sylwetki lub pobicia swojego rekordu w bieganiu. To jest pułapka wszystkich cudownych diet odchudzających w miesiąc lub trzy. Ludzie korzystający z takich rad trwają w męczeństwie ten miesiąc lub trzy i wracają z ulgą do starych nawyków. Efekty wiadome: jo-jo, frustracja, poczucie winy itd. Dla zdrowia – same szkody. Dlatego szalenie istotne jest, aby z góry nastawić się na stałe zmiany w życiu. Nie zmuszaj się do jedzenia niektórych zdrowych potraw, jeśli wyraźnie Ci nie smakują – szukaj innych. Nie nastawiaj się, że przestaniesz ćwiczyć, jak schudniesz – myśl raczej, jakie nowe sportowe cele sobie wyznaczysz po uzyskaniu pożądanej sylwetki.

Po co więc dalej ćwiczyć? „No dobra, poprawię jeszcze brzuch, bo moja trenerka ma kaloryferek, to ja też chcę. Ach! I uda też chcę mieć jak ona!" I tu znowu absurd – po co chcieć wyglądać jak ktoś inny? Traktuj siebie jak niepowtarzalną jednostkę. Bądź szczupła, bo to zdrowe i wygodne. Ale nie katuj siebie i innych dążeniem do wyglądu pani X, bo masz inne geny, być może też inny typ metaboliczny, wiek, wzrost itd.

Ja mam sylwetkę, która jest efektem moich genów, diety i przede wszystkim sportu uprawianego codziennie od kilkunastu lat. Jestem zadowolona z mojej figury, ale zbieram też sporo głosów krytycznych: „zbyt chłopięca", „za mało kobieca" itp. Ja lubię i szanuję moje ciało, więc nie przejmuję się opiniami innych,

Jeśli wprowadzasz zmiany, obserwuj siebie, swoje ciało i jego reakcje na kulinarne nowości. **Nie ma jednej diety idealnej dla wszystkich**, bo jesteśmy różnie uwarunkowani genetycznie, mamy różne skłonności, metabolizm i konstrukcję psychiczną. Podstawowe zasady zdrowego odżywiania, które przedstawię w następnych rozdziałach, dotyczą wszystkich, ale nie wiem, czy przekonywanie akurat Ciebie do walorów roślin strączkowych ma sens, bo może się okazać, że Twój układ trawienny źle na nie reaguje i będzie lepiej, jeśli je ograniczysz. To samo dotyczy Twojej wrażliwości na gluten, przed którym ostrzegam. Być może Ty akurat tolerujesz go świetnie. Próbuj, kombinuj, zbuduj sobie bogaty zestaw produktów i dań, które są zdrowe i które bardzo Ci smakują – wówczas termin „zdrowa żywność" nie będzie już się kojarzył z „jedzeniem bezsmakowej trawy". A samo poszukiwanie nowych smaków, kolorów i aromatów w kuchni może stać się świetną zabawą, niemal podróżą pełną przygód i odkryć.

ale trochę mnie przeraża, gdy odbieram e-maile od – jak sądzę – bardzo młodziutkich osób, które proszą o podanie wszystkich moich wymiarów, bo chcą wyglądać jak ja albo się ze mną porównywać. Po co? Bądźmy wszyscy zdrowi, szczupli i radośni, ale różni! Jesteśmy niepowtarzalni – każdy z nas ma swoje walory :)

Jeśli planujesz treningi, od początku rób to z głową. Rzucanie się na wielkie sportowe wyzwania prosto z kanapy nie ma sensu, może skończyć się kontuzją i zniechęcić Cię do sportu na długi czas. Spokojnie rozruszaj ciało. Marszobiegi, rower, basen, tenis, siatkówka z przyjaciółmi, karate, joga – jest tyle możliwości! Kiedy poczujesz, że zesztywniałe mięśnie i stawy są już na chodzie, wybierz sobie takie rodzaje aktywności fizycznej, które sprawią Ci frajdę. Nie musisz zmuszać się do biegania, jeśli go nie lubisz, tylko dlatego że „wszyscy to robią". Jedna z moich koleżanek kocha basen, przepływanie wielu kilometrów jest dla niej niemal formą medytacji. Mnie akurat pobyt na basenie dość szybko nuży, choć doceniam walory pływania, zwłaszcza korzyści, jakie daje kręgosłupowi. Ja wolę jednak biegi, moje karate i tabaty.

Piękne jest to, że ćwiczyć można wszędzie i na wiele sposobów. Nie potrzeba żadnych nakładów finansowych, by umówić się w parku z przyjacielem i pobiegać, poćwiczyć jogę lub zorganizować z sąsiadami mecz piłki nożnej.

A trening z drugą osobą to następny motywator! Nie ma zmiłuj, jeśli już się umówię z koleżanką albo mężem (tak, tak!) na wspólny trening. Jak mogłabym ich zawieść i odpuścić? Także w trakcie ćwiczeń, kiedy pot się już leje, łatwiej znieść wysiłek, kiedy widzi się drugą osobę dającą dzielnie radę i uśmiechniętą, choć oddech staje się coraz

WAŻNE: Twojemu dziecku będzie się żyło zdrowiej i łatwiej, jeśli od początku wychowasz je w poszanowaniu zasad zdrowego życia. To mit, że dzieci kochają słodycze i programowo nie znoszą szpinaku. Produkty dla dzieci są słodzone, bo mają smakować matkom, które je kupują i które kojarzą własne dzieciństwo ze słodyczami. Znam kilkuletnie dzieci, które żyją bez cukru od urodzenia i są zdrowe, radosne i szczęśliwe. Nie traktuj jedzenia jako metody wychowawczej, nie nagradzaj batonikiem, nie karz brakiem dostępu do ciastek. Jedzenie ma być naturalną czynnością, tak jak oddychanie. Nie warto używać jedzenia do manipulacji, bo nabierze szkodliwego znaczenia. Jeśli od samego początku będziesz podawać dzieciom zdrową żywność w ładnej formie, wykształcisz u nich dobre nawyki, a to pozwoli im w przyszłości spokojnie odmówić kolegom namawiającym na lody z budki lub hamburgera.

krótszy. Doskonałym pomysłem są treningi rodzinne. Wiem, trudno w dzisiejszych zabieganych czasach „zsynchronizować zegarki", ale może uda się to chociaż w weekend? Wspólne wprowadzanie zmian w kuchni jest po stokroć prostsze niż w sytuacji, gdy tylko jeden domownik chce jeść zdrowo. Podobnie jest z ćwiczeniami. Spróbujcie razem. Zwykle tylko jedna osoba naraz ma kryzys, a wtedy druga może dać wsparcie. A korzyści dla dzieci, jeśli je macie, są nie do przecenienia w przypadku wprowadzenia zdrowego stylu życia dla całej rodziny.

JEŚLI JESTEŚ RODZICEM, TO MASZ DOSKONAŁĄ MOTYWACJĘ DO TRENINGÓW – BYCIE WZOREM DLA POTOMKA. AKTYWNI RODZICE WYCHOWUJĄ AKTYWNE DZIECI. PODTRZYMUJ NATURALNĄ POTRZEBĘ RUCHU, JAKĄ MA TWOJE DZIECKO, I SKIERUJ JĄ NA SPORTOWE TORY. TA POTRZEBA UTRWALI SIĘ NA CAŁE ŻYCIE.

Beata Odpowiedz
22 maja 2014 (Edit)

A mnie powstrzymuje brak czasu. Moja praca nie polega na spędzaniu czasu na siłowni jak Twoja Aniu.ja wstaje codziennie o 6:00, szykuje siebie i swoje dziecko do pracy/przedszkola. Wracam do domuprzed 18:00, spędzam chwilę na zabawie z dzieckiem (albo i nie bo trzeba zrobić zakupy), szykuje kolacje, dziecko do snu, sobie zestaw posiłków na następny dzień (przynajmniej udaje mi się stosować zbilansowana dietę z 5 posiłkami), sprzątam lub prasuje lub wykonuje inne domowe czynności. jak kończę jest kolo 23–24. Padam bo rano znowu o 6 zadzwoni budzik...

Mela Odpowiedz
22 maja 2014 (Edit)

Wymówki ;) Mam troje dzieci, pracę, dzień zaczynam o 6 kończę po północy, ale 5 razy w tygodniu ćwiczę po godzinie. Zaczynam po 22 zainstalowana w pokoju córki ale i w kuchni zdarzało mi się ćwiczyć . Chcieć to móc.

MELA, DZIĘKUJĘ ZA TEN KOMENTARZ W IMIENIU SWOIM I CZYTELNIKÓW!

Bądźcie konsekwentni. Powtarzam się, ale to podstawa sukcesu. Bardzo wiele osób pod wpływem przeczytanego tekstu robi jeden lub kilka ruchów w dobrą stronę. I kończy. „Znudziło mi się" – czytam w e-mailu.

Istotne jest, żeby OD POCZĄTKU podejść do dobrych zmian we właściwy sposób. Poniższe rady będą pomocne:

▸ Wybierz aktywność fizyczną, która Ci odpowiada. Szukaj – na początek choćby na YouTube. Jest tam mnóstwo propozycji bardzo różnych treningów. Zwróć tylko uwagę na kompetencje osób proponujących ćwiczenia. Moja przyszywana ciotka długo szukała ćwiczeń cardio dla siebie. I znalazła – rodzaj aerobiku na bazie salsy. Akurat ta muzyka właśnie jej daje kopa i ćwiczenia przestały być udręką, a stały się wielką frajdą.

▸ Zanim zaczniesz, weź pod uwagę, że będą kryzysy. Że „się znudzi", że będą czasem zakwasy lub zadyszka. Wyobraź sobie siebie w tych sytuacjach już teraz i daj sobie samemu rady, co robić, by przetrwać te kryzysy. Wyobraź sobie, jak przełamujesz bariery. Kiedy przyjdą prawdziwe kryzysy – nie będą już zjawiskiem, któremu nie można sprostać. Dasz im radę.

▸ Nie wszystko naraz. Dużym błędem osób planujących zmiany jest przerost ambicji. Siadają z kartką i zapisują: będę ćwiczyć (tu wpisane wielkie cele treningowe), od razu przejdę na zdrowe odżywianie, a skoro już się zmieniam na lepsze – to dodam godzinę dziennie nauki języków obcych. Sukces jest mało prawdopodobny. Pewniejsze są za to zniechęcenie i frustracja.

Ja zapisuję rano, co mam zrobić. A chwilę potem skreślam połowę. To bardzo ważne, by siebie samego nie nastawiać na dzień czy na całe życie tak ambitnie, że niepowodzenie będzie nieuniknione. Jeśli człowiek chce za dużo osiągnąć, zaplanować, zrealizować, to jest stale z siebie niezadowolony. A może po to, by być z siebie zadowolonym, wystarczy robić rzeczy, które są potrzebne, godziwe, warte, dobre, bez wymagania od siebie więcej, niż można osiągnąć.

prof. Wiktor Osiatyński

Pamiętaj – zmieniasz nawyki, które towarzyszyły Ci całe życie. To trudne, ale możliwe. A najważniejsze jest to, że sport w pewnym momencie STAJE SIĘ TWOIM NAWYKIEM, podobnie jak zdrowe jedzenie. I to jest piękne!

No i jak? Przekonałam Cię do zdrowej żywności i do treningów? Widzę, że łatwiej zdrowiej jeść niż zabrać się do ćwiczeń? To specjalnie dla Ciebie, najbardziej opornego z Czytelników, mam propozycję: zaraz po przeczytaniu tego akapitu wstań i ubierz się w dres. Nie, nie, nie będziesz ćwiczyć! Tylko załóż sportowy strój. Już? Super, teraz skarpetki i buty. Też gotowe? Świetnie! To posiedź tak sobie w tym ubraniu, ale bez gapienia się w komputer, książki czy telewizor. Posiedź z 15 minut, tylko patrząc na siebie, i zastanów się, dlaczego warto potrenować. Powyobrażaj sobie siebie po miesiącu systematycznych ćwiczeń. I już. Na dziś wystarczy. Jutro znów to zrobisz: przebierzesz się i posiedzisz. A w kolejnym dniu spróbuj zrobić parę spokojnych skłonów, przysiadów... Och, nie możesz wyprostować nóg? No właśnie... Kombinuj dalej :)

PS.

Niemal wszystkich, którzy na stałe zmienią swój tryb życia na zdrowy, czekają niespodzianki. Jedna z moich koleżanek pożegnała alergię, inna jest zachwycona lśniącymi włosami – nie wiedziała, że dieta tak je nabłyszczy. Ktoś pozbył się trądziku, ktoś inny wyleczył zatoki. Ciekawe, jakie bonusy czekają na Ciebie. Sądzę, że dumę z siebie i radość życia mogę Ci zagwarantować.

Korzystając z okazji, chcę zaapelować do najmłodszych czytelniczek: jeśli masz 12–16 lat, już teraz kształtuj dobre nawyki na całe życie – dorosłej Tobie będzie łatwiej utrzymać zdrowie i formę. Ale też daj sobie czas na dojrzewanie, nie katuj się dietami i morderczymi treningami, bo chcesz już, natychmiast mieć sylwetkę dorosłej kobiety. Postaw na treningi angażujące całe ciało, gdyż robienie tylko setek brzuszków może Ci raczej zaszkodzić niż pomóc (jeśli jednak robisz brzuszki, to pamiętaj o równoważnych ćwiczeniach na mięśnie pleców!). Jedz zdrowo i ćwicz, ale najlepiej pod opieką doświadczonych trenerów. Twoje ciało potrzebuje spokoju, żeby się rozwinąć. Odrobina tkanki tłuszczowej na biodrach czy brzuchu to nie jest powód do dramatu, lecz znak, że stajesz się kobietą. Polub swoje ciało już teraz, łatwiej Ci będzie z nim współpracować, nie będziesz wciąż sfrustrowana, będziesz żyć radośniej :)

29

NIEMAL WSZYSTKICH, KTÓRZY NA STAŁE ZMIENIĄ SWÓJ TRYB ŻYCIA NA ZDROWY, CZEKAJĄ NIESPODZIANKI.

O odchudzaniu

Nadwaga szkodzi. Każda. Zarówno typ charakterystyczny dla kobiet, czyli pośladkowo-udowa, jak i nadwaga brzuszna, która dotyka przede wszystkim mężczyzn, ale też wiele kobiet.

Ta pierwsza prowadzi do zaburzeń oddechu, łącznie z bezdechem sennym, chorób serca i żylaków. Ta druga może się przyczynić do zawału serca, cukrzycy, udaru mózgu, zwyrodnień kręgosłupa i nadciśnienia. Każda nadwaga obciąża nadmiernie stawy, powoduje ich uszkodzenia, może też z czasem przerodzić się w otyłość – bardzo ciężki stan, w którym organizm nie ma szans funkcjonować normalnie.

Niestety, nie wszystkim jest równie łatwo utrzymać prawidłową masę ciała.

Z e-maila: *Pani Aniu, dziękuję za inspirację. Kiedy miałam 6 lat, mądry pediatra powiedział mojej zawsze szczupłej mamie: „Proszę uważać, sądząc po sylwetce, córka stale będzie miała skłonność do większego brzucha, a to grozi chorobami, przede wszystkim kręgosłupa". Tę skłonność prawdopodobnie odziedziczyłam po ojcu. Mama na szczęście przejęła się słowami lekarza i przez całe dzieciństwo uprawiałam jakieś sporty. Kiedy jako dorosła osoba zakończyłam aktywność fizyczną, na efekt nie czekałam długo – brzuszysko urosło dość szybko. I tak całe życie chudłam i tyłam. Pani blog bardzo pomaga mi w utrwaleniu zdrowych nawyków, które wypracowałam sobie kilkanaście lat temu na stałe. Teraz mam 56 lat i szczupłą figurę dojrzałej kobiety. I jestem zdrowa! Dziękuję! Beata*

No właśnie – geny często warunkują skłonność do tycia, dziedziczymy bowiem pewien typ sylwetki i typ metaboliczny. Nie jest to sprawiedliwe. Znajoma skarżyła mi się: *Anka, mam dość patrzenia, jak moja kumpelka z pracy codziennie na drugie śniadanie wrzuca w siebie paczkę parówek na ciepło z dwiema kajzerkami i poprawia to jeszcze lodami na deser. I nie tyje! Jest wciąż szczupła jak młody chłopak, gdy tymczasem ja przybieram na wadze od samego patrzenia na jej posiłki!* No cóż, kumpelce z pracy można pozazdrościć dobrej przemiany materii, ale na pewno nie rozsądku – słowo „szczupły" nie jest równoważne słowu „zdrowy", a takie jedzenie kiedyś może poskutkować poważnymi schorzeniami.

Inną przyczyną nadwagi są choroby, które tak bardzo zaburzają metabolizm, że utrzymanie prawidłowej masy ciała robi się bardzo trudne. Niektóre lekarstwa także znacząco ułatwiają tycie. Ale znam osoby, m.in. mające spore kłopoty z tarczycą, które mimo utrudnień walczą z nadwagą (odpowiednia dieta i aktywność fizyczna) i mają doskonałe rezultaty. Częstą wymówką, żeby uniknąć treningów, które pomogą się odchudzić, są bolące stawy i kręgosłup – objawy zwykle wywołane właśnie nadwagą. Błędne koło: za dużo kilogramów – boli kręgosłup. Boli kręgosłup – nie będę ćwiczyć.

Komentarz czytelniczki mojego bloga:

Witam – odnośnie do bólu kręgosłupa – ja mam skoliozę, kifozę i dyskopatię. Zanim to „odkryto", też cierpiałam i przybierałam na wadze, bo zakazano mi ćwiczyć, co było największą głupotą. Od ponad roku ćwiczę 6 razy w tygodniu, zaliczyłam Insanity, a w ostatnią niedzielę pierwszy raz w życiu wzięłam udział w wyścigu (w słusznej sprawie, bo dla fundacji wspierającej ludzi chorych na raka), pokonałam 10 km w mniej niż godzinę, pokonałam własne słabości i uśmiech nie schodzi z mojej twarzy. Nic już dla mnie nie jest wymówką. Polecam pozytywnie nastawić się do życia, wziąć się w garść, nie poddawać, bo nie ma rzeczy niemożliwych. Viola

Brawo, Viola! Nie namawiam osób z naprawdę chorym kręgosłupem lub stawami do treningów, które mogą pogorszyć ich stan. Ale sądzę, że warto zapytać lekarza, czy np. pływanie też jest wykluczone, czy szybkie marsze lub chociaż spacery naprawdę zaszkodzą, czy można zmierzyć się z systemem *barre au sol*, który oferuje trening całego ciała, ale bez obciążania stawów. Joga lub pilates pod okiem doświadczonego instruktora też pomogły wielu osobom wyleczyć bóle kręgosłupa i podjąć inne aktywności sportowe.

Bywa, że kłopoty neurologiczne i zaburzenia równowagi psychicznej skutkują nadwagą, i to czasem dużą. Ludzie w depresji, która często jest paraliżem woli, objadają się i wpadają w błędne koło – rosnąca nadwaga bowiem depresję potęguje. W takim przypadku konieczne są oczywiście stała pomoc lekarza i terapia.

Ale cóż – powiedzmy sobie szczerze – naprawdę sporo osób nadwagę ma na własne życzenie. Coraz powszechniejsza praca biurowa, zastąpienie aktywności fizycznej oglądaniem telewizji i grami komputerowymi, jedzenie byle jak i byle czego, podjadanie, nocne wyprawy do lodówki – to codzienność bardzo dużej grupy ludzi. Jeśli dorosły funkcjonuje w taki sposób – jego sprawa. Podaż informacji o zdrowiu jest naprawdę duża i trzeba się mocno starać, żeby nie wiedzieć, jak o siebie zadbać. Natomiast straszne jest, że tacy dorośli przekazują swoją postawę dzieciom, ucząc je od małego, że chipsy są super, słodycze to dobro pożądane, a na talerzu najważniejsze jest „mięsko", więc „marchewkę możesz zostawić". Tacy rodzice chętnie też załatwiają dzieciom zwolnienia z WF-u, czego juz zupełnie nie mogę pojąć. Prawda poparta badaniami jest taka, że aktywni rodzice wychowują aktywne dzieci, i oby było ich coraz więcej, bo grozi nam epidemia otyłości.

TAK, GROZI NAM EPIDEMIA, NIE NADWAGI, LECZ OTYŁOŚCI, BO LUDZKI ORGANIZM NIE MA GÓRNEJ GRANICY MAGAZYNOWANIA TŁUSZCZU, WIĘC KAŻDA NADWAGA MOŻE NIEMAL NIEZAUWAŻENIE PRZEKSZTAŁCIĆ SIĘ W OTYŁOŚĆ.

- Wszystkich, którzy mają nadwagę, namawiam do pozbycia się zbędnych kilogramów. Przede wszystkim dla zdrowia. Nadwaga nie tylko szpeci, lecz stanowi też przyczynę chorób, więc zdrowiej dla nas, jeśli będziemy szczupli. Osoby naprawdę otyłe gorąco namawiam do odchudzania się pod kontrolą lekarza i dietetyka, a jeśli jest taka możliwość – także trenera osobistego. Organizm osoby otyłej nie funkcjonuje normalnie. Stopniowe pozbywanie się tak wielkiej liczby kilogramów bez szkody dla zdrowia jest możliwe tylko we współpracy z fachowcami.

- Nie ma żadnych cudownych diet odchudzających, które dają trwały efekt.

- Bardzo szkodliwe są diety oparte na rezygnacji z części składników niezbędnych dla naszego organizmu (diety tłuszczowe, białkowe itp.).

- Zdecydowanie sprzeciwiam się zażywaniu parafarmaceutyków oraz lekarstw, które mają odchudzać (chyba że wyraźnie zaleci je lekarz). Skutków ubocznych takich praktyk na ogół jest więcej niż satysfakcji z lepszej figury.

- W odchudzaniu namawiam do spokoju – tylko powolne gubienie kilogramów nie przynosi szkód zdrowiu.

- Jeśli nadwaga nie jest spowodowana nieracjonalnym odżywianiem się, należy skonsultować to z lekarzem. Badania mogą wykazać np. niedoczynność tarczycy, spowalniającą metabolizm i czasem prowadzącą do tycia.

- Wszystkim mogę polecić, aby (jeśli tego jeszcze nie zrobili) zmienili tryb życia na zdrowy. Prawidłowe, racjonalne odżywianie plus aktywność fizyczna na miarę swoich możliwości powinny przynieść efekty w postaci szczupłej sylwetki. Być może nie od razu; trzeba organizmowi dać czas na przystosowanie się do zmian. Niektórzy mogą z początku przerazić się, że tyją – to normalne. Ciało przyzwyczajone do nadmiaru węglowodanów lub tłuszczów i pozbawione nagle tego nadmiaru reaguje robieniem zapasów. Ale to trwa krótko, poza tym nie zdarza się wszystkim, a jeśli już się zdarzy – trzeba taki czas przetrwać i się nie poddawać.

- Nie mam uniwersalnego jadłospisu dla osób, które chcą schudnąć. Dlatego że każdy z nas jest inny. Mamy różne geny, typ sylwetki, płeć, metabolizm, tolerancję pokarmów. Jesteśmy w różnym wieku, wykonujemy różne prace. Każdy ma w związku z tym inne zapotrzebowanie energetyczne.

Jeśli się odchudzasz, powinieneś dostarczać mniej kalorii, niż zużywasz. Ale nie wolno jeść poniżej minimalnego zapotrzebowania. Pamiętajmy bowiem, że

płeć	wiek w latach	równanie (wartość w MJ na dzień)
mężczyźni	10–17	$PPM = 0,074 \times W + 2,754$
	18–29	$PPM = 0,063 \times W + 2,896$
	30–59	$PPM = 0,048 \times W + 3,653$
	60–74	$PPM = 0,0499 \times W + 2,930$
	> 75	$PPM = 0,0350 \times W + 3,434$
kobiety	10–17	$PPM = 0,056 \times W + 2,898$
	18–29	$PPM = 0,062 \times W + 2,036$
	30–59	$PPM = 0,034 \times W + 3,538$
	60–74	$PPM = 0,0386 \times W + 2,875$
	> 75	$PPM = 0,041 \times W + 2,610$

Tabela z szacunkowymi wartościami PPM według Światowej Organizacji Zdrowia.
W – masa ciała w kilogramach.

sporo kalorii pochłania tzw. PPM – podstawowa przemiana materii, która obejmuje wszystkie procesy życiowe, jakie zachodzą w organizmie: od poziomu przemian komórkowych poczynając, a na oddychaniu kończąc. Do obliczania PPM służą dość skomplikowane wzory uwzględniające płeć, wiek, aktualną masę ciała i wzrost, ale w internecie można znaleźć kalkulatory obliczające PPM natychmiast po wpisaniu danych. Na wydatki energetyczne składa się też oczywiście aktywność ruchowa, więc jeśli trenujemy, musimy jeść więcej, żeby organizm podołał wysiłkowi i żeby treningi nas nie wyniszczały.

Odchudzanie dietą niskokaloryczną to błąd. Lepiej postawić na aktywność ruchową.

▸ **Kalorie można dostarczyć w różny sposób**. Kromka chleba ma tyle samo kalorii co spora porcja kaszy. Jeśli jesz kaszę (która podczas gotowania wchłonęła wodę, więc zwiększyła objętość), szybciej napełniasz żołądek i mózg wcześniej wyśle Ci sygnał o sytości. Skończysz posiłek i nie będziesz miał niedosytu. Objętość żołądka ma duże znaczenie, zwłaszcza dla osób, które długo „pracowały" nad jej powiększeniem. Dlatego staraj się komponować posiłki w taki sposób, by duża objętość pożywienia dawała Ci mniej kalorii. W tym pomogą oczywiście warzywa – na ogół są mało kaloryczne, a wspaniale wypełniają i dają cenne witaminy i minerały.

▸ Jeśli dobrze zbilansowana dieta oraz systematyczne treningi nie dają w dłuższym czasie rezultatów, można w czasie odchudzania lekko **ograniczyć kaloryczność potraw** oraz zwracać większą uwagę na **indeks glikemiczny** produktów.

- Jeśli masz kłopoty z utrzymaniem się w trybie zdrowego jedzenia, nie umiesz zrezygnować ze słodyczy, objadasz się nocami, jesz kompulsywnie lub często tracisz i odzyskujesz kilogramy – proponuję **udać się na terapię do psychiatry lub psychologa**. Zaburzenia odżywiania bywają ciężką chorobą i warto je leczyć, zanim się nią staną.

- Nie rób z odchudzania najważniejszej części swojej codzienności. **Traktuj je spokojnie**. Nie rezygnuj w tym czasie ze swoich pasji, wręcz przeciwnie – rozwijaj je. Nie myśl obsesyjnie o nadwadze, bo może Cię to zaprowadzić w kierunku anoreksji lub podobnych zaburzeń.

- Jeśli się odchudzasz, nie ustalaj swojej wagi docelowej, ale **wymiary**. Podczas procesu odchudzania, kiedy żyjesz aktywnie fizycznie, w Twoim ciele zachodzą zmiany, które skutkują świetnym wyglądem i zdrowiem, ale niekoniecznie wymarzonym spadkiem masy. Nie porównuj też swojego ciężaru do wagi innych. Rówieśnicy tej samej płci i wzrostu, a także o podobnej sylwetce, mogą mieć różne masy ciała, bo mają inny typ kośćca lub inny typ metaboliczny. Twoim celem mają być zdrowie i fajny wygląd, a nie wynik na wadze.

- Nie traktuj odchudzania jako **sposobu na rozwiązanie swoich problemów**. Jeśli odkładasz jakieś istotne sprawy na czas, kiedy będziesz wyglądać szczupło, to robisz błąd. Być może potrzebna jest Ci rada psychologa.

- **Nie nastawiaj się na odchudzanie jak na męczarnię**, którą trzeba z mozołem i bólem jakoś przetrwać. Potraktuj zrzucanie zbędnych (naprawdę zbędnych!) kilogramów jako wyzwanie, któremu radośnie sprostasz. W chwilach kryzysów wyobrażaj sobie, jak wspaniale się poczujesz bez balastu i w nowych, mniejszych ciuchach.

Trzymam kciuki!

1.

Jedzenie

Zdrowe odżywianie jest jednym z trzech filarów zdrowia. Kupując jedzenie, przygotowując posiłek i jedząc, zawsze pamiętajmy, że żywność to nasze paliwo. Czy dodamy do baku samochodu cukier? Czy ulubioną roślinę podlejemy detergentem? Nie. Dlaczego więc nie szanujemy naszego ciała i je zatruwamy?

Mnie w codziennych wyborach żywieniowych pomaga wiedza o funkcjonowaniu organizmu oraz właściwościach produktów żywnościowych. Tę wiedzę, w możliwie prosty sposób, chciałabym tutaj przypomnieć, zaczynając od podstaw, czyli budowy naszego układu trawiennego i krótkiego opisu jego funkcjonowania.

UKŁAD TRAWIENNY

JAMA USTNA

To pierwszy odcinek przewodu pokarmowego. Tu rozdrabniamy pokarm. Jama ustna wyposażona jest w gruczoły ślinowe, tzw. ślinianki. Ślinianki podjęzykowe stale produkują wydzielinę (u osoby dorosłej nawet 2 litry dziennie), pozostałe zaś reagują dopiero, gdy dostaną sygnał z receptorów węchu, czucia i smaku. Gęsta ślina wytwarzana na sygnał „jedzenie" miesza się z pokarmem i tym samym zwiększa jego objętość i podatność na działanie enzymów. Zawiera chlorki sodu, potasu i magnezu, które neutralizują kwasy i inne substancje mogące szkodzić zębom, jamie ustnej i przełykowi. Chlorki te aktywizują amylazę ślinową, która **rozpoczyna trawienie węglowodanów**.

DOKŁADNE GRYZIENIE, POWOLNE ŻUCIE I SPOKOJNE
PRZEŁYKANIE POKARMU ZNACZNIE LEPIEJ PRZYGOTOWUJĄ
GO DO DALSZEGO TRAWIENIA, NIŻ JEDZENIE W POŚPIECHU.

ŻOŁĄDEK

Jest workiem mięśniowym o grubych ścianach, który dostosowuje swoją wielkość do objętości spożywanego pokarmu. Wytwarza sok żołądkowy (2–3 litry na dobę) oraz śluz. Kęs pokarmu docierający do żołądka jest mieszany z sokiem żołądkowym, który zawiera kwas solny i enzymy trawienne. Kwas działa bakteriobójczo, **zmienia strukturę białek i ułatwia ich rozkład, którego dokonują enzymy**. W pierwszej fazie sok żołądkowy wydzielany jest dzięki pobudzeniu zmysłów węchu, smaku i wzroku oraz działaniu wyższych ośrodków nerwowych – kiedy myślimy lub rozmawiamy o jedzeniu. Druga faza wydzielania soku, najbardziej obfita, wynika z obecności pokarmu w żołądku. W trzeciej fazie pokarm jest już w jelicie cienkim.

PŁYNY PRZYJMOWANE TUŻ PRZED ROZPOCZĘCIEM, W TRAKCIE
I ZARAZ PO ZAKOŃCZENIU POSIŁKU ROZCIEŃCZAJĄ SOK
ŻOŁĄDKOWY. ZDROWIEJ JEST UNIKAĆ PICIA W CZASIE JEDZENIA.

JELITO CIENKIE

Ma średnicę około 3,5 cm i długość około 5–6 m. Początkowy fragment jelita cienkiego to **dwunastnica** (długość ok. 25 cm). Tu w trawieniu uczestniczą sok dostarczony z trzustki i żółć z pęcherzyka żółciowego. Sok trzustkowy obfituje w wodorowęglan sodu, który – jako związek silnie zasadowy – neutralizuje kwaśną treść pokarmową i nadaje jej odczyn lekko alkaliczny. Enzymy soku trzustkowego **trawią węglowodany, białka i tłuszcze**.

Jelito cienkie jest silnie unaczynione. Po spożyciu pokarmu mocno wzrasta jelitowy przepływ krwi, co decyduje o prawidłowym wchłanianiu produktów trawienia.

JELITO GRUBE

Ma długość ok. 130–150 cm. Odpowiada głównie za absorpcję wody, sodu i innych składników mineralnych. Nie wytwarza enzymów trawiennych, ale odgrywa znaczącą rolę w procesie trawienia. Główne zadanie jelita grubego to tworzenie i przesuwanie mas kałowych, który to proces trwa kilkanaście godzin od spożycia pokarmu. Do jelita grubego dostaje się ok. 1,5 l płynu na dobę, ale 90% jest wchłaniane razem ze związkami mineralnymi, które powracają do krwiobiegu.

Resztki pokarmowe niestrawione w jelicie cienkim ulegają w okrężnicy rozkładowi dzięki bakteriom mikroflory jelitowej. **Jej skład w ogromnym stopniu zależy od naszego sposobu odżywiania się**. W jelicie grubym następuje fermentacja błonnika pokarmowego, który w górnych częściach przewodu pokarmowego pełnił funkcję szczotki, adsorbenta i wypełniacza. Bakterie w jelicie grubym przetwarzają błonnik przyswajalny na substancje cenne dla organizmu, m.in.: witaminy z grupy B, witaminę K, biotynę, kwas pantotenowy, kwas nikotynowy i foliowy, hormony i aminokwasy.

Mikroflora jelita grubego odgrywa bardzo ważną rolę w systemie odpornościowym organizmu, bo jej bakterie tworzą barierę dla składników pożywienia szkodliwych dla organizmu. Wspomaga więc znacząco wątrobę w procesie detoksykacji.

WĄTROBA

Największy i chyba najbardziej niedoceniany przez ludzi gruczoł. Także największe laboratorium biochemiczne w ludzkim organizmie. Należy do układu pokarmowego, ale znajduje się poza przewodem żołądkowo-jelitowym.

Funkcje wątroby:

▸ wytwarzanie żółci uwalnianej z komórek wątrobowych do przewodów żółciowych i dalej, do dwunastnicy

▸ magazynowanie żółci w pęcherzyku żółciowym w okresach pomiędzy posiłkami

▸ gromadzenie i uwalnianie węglowodanów

▸ wytwarzanie białek osocza

▸ udział w metabolizmie cholesterolu

▸ inaktywowanie niektórych hormonów (dzięki wątrobie działają tylko wtedy, gdy ich potrzebujemy)

▸ synteza prowitaminy D

▸ zamiana nadmiaru węglowodanów na kwasy tłuszczowe

▸ przetwarzanie 10% spożywanej glukozy w glikogen

▸ synteza kwasów tłuszczowych

▸ utrzymanie właściwego stężenia aminokwasów w osoczu

▸ tworzenie czynników krzepnięcia

▸ detoksykacja różnych substancji, np. alkoholu.

Żółć odgrywa ważną rolę w procesie trawienia i absorpcji tłuszczów oraz witamin A, D, E i K (rozpuszczalnych w tłuszczach). Pomaga też w wydalaniu produktów resztkowych oraz nadmiaru cholesterolu. Zasadowe pH żółci pozwala alkalizować treść pokarmową w dwunastnicy i umożliwia kontynuację trawienia przez enzymy soków trzustkowego i jelitowego.

TRZUSTKA

Podobnie jak wątroba leży poza przewodem żołądkowo-jelitowym. Główne zadanie trzustki to produkcja soku trzustkowego, który zawiera enzymy trawiące węglowodany, białka, tłuszcze i kwasy nukleinowe. Dzięki wydzielaniu insuliny trzustka bierze istotny udział w regulacji poziomu cukru we krwi.

WĘGLOWODANY I BIAŁKA SĄ TRAWIONE W RÓŻNYCH ŚRODOWISKACH: WĘGLOWODANY – W ZASADOWYM, A BIAŁKA – W KWASOWYM. MIĘDZY INNYMI WŁAŚNIE DLATEGO NALEŻY JE JEŚĆ ODDZIELNIE.

Węglowodany i tłuszcze to nasze główne źródło energii, białka i makroelementy są przede wszystkim budulcem tkanek i związków czynnych biologicznie, a mikroelementy i witaminy regulują procesy biochemiczne naszego organizmu. Dlatego dobrze zbilansowany pokarm powinien zawierać wszystkie te składniki. Robiąc zakupy, przygotowując posiłki i jedząc, nie zapominajmy, że jedzenie to nasze paliwo. Nie traktujmy więc jedzenia tylko jako chwilowej konieczności lub przyjemności.

MYŚLMY O NIM Z SZACUNKIEM, BO OD JEGO WARTOŚCI ZALEŻY JAKOŚĆ NASZEGO ŻYCIA.

Co jemy?

WĘGLOWODANY

Wielu kojarzą się z cukrem. I słusznie, bo to cukry. Różne – proste i złożone. Znajdziemy je nie tylko w produktach mających słodki smak. Cukry proste znajdują się głównie w owocach, złożone – w kaszach, ziarnach zbóż, warzywach i orzechach. Duży udział w metabolizmie cukrów ma insulina. Dlatego zanim napiszę, jak jeść produkty bogate w węglowodany – parę słów o insulinie.

Insulina to białkowy hormon produkowany stale przez komórki wysp trzustki. Ta produkcja gwałtownie wzrasta po posiłku, kiedy zwiększa się stężenie glukozy we krwi. Insulina umożliwia transport glukozy do wnętrza komórek, dzięki czemu stężenie glukozy we krwi spada. Jeśli jednak efektem trawienia pokarmu będzie dalszy wzrost ilości glukozy, to jej nadmiar zostanie przekształcony w glikogen – substancję, która jest dostarczana do mięśni szkieletowych oraz do wątroby, gdzie pełni funkcję zapasu energetycznego dla organizmu. Kiedy i spiżarnia w wątrobie jest pełna, a my nadal jemy węglowodany – organizm odkłada je w tkance tłuszczowej i tak często zdobywamy zbędne kilogramy.

Jednak nie możemy z węglowodanów zrezygnować całkowicie. To one dają organizmowi energię potrzebną do utrzymania skomplikowanych funkcji życiowych, tych milionów reakcji biochemicznych, które zachodzą w każdej chwili. A jeśli kochamy aktywność fizyczną (a przecież każdy człowiek dbający o zdrowie ją lubi), to węglowodany też musimy pokochać i jeść je mądrze, a więc unikać tych niebezpiecznych.

CUKIER, MĄKA, RYŻ

Większość węglowodanów dostarczanych wraz z pokarmem to cukry złożone. Żeby mogły być one przekształcone w glukozę i dostarczone do krwi, musi nastąpić ich powolny rozkład na cukry proste. Ten proces wyzwalają enzymy zawarte w ślinie i sokach trzustkowym i jelitowym. Niezbędne są w nim także witaminy z grupy B oraz minerały. Ziarna zbóż, dostarczające nam większości potrzebnych cukrów złożonych, zawierają wszystkie mikroelementy potrzebne do prawidłowego trawienia tych cukrów. **Niestety, w procesach rafinowania, oczyszczania i wybielania te mikroelementy giną bezpowrotnie.** Organizm, któremu dostarczamy białego cukru, białej mąki i białego ryżu, musi sięgać do własnych witamin i minerałów, żeby te produkty strawić. Efekt takiego procesu i tak nie jest zadowalający, bo oprócz glukozy powstają substancje bardzo szkodliwe – kwas pirogronowy i cukry pięciowęglowe, zakłócające pracę krwinek. Tworzy się także przykry śluz, który zamiast oczyszczać błonę śluzową komórek, staje się pożywką dla bakterii i grzybów.

Węglowodany rafinowane zakwaszają organizm. Krew w normalnych warunkach jest świetnym buforem – nie pozwala na zmianę właściwego pH. Ale jeśli węglowodanów jest za dużo, a na dodatek są one rafinowane, czyli nie mają dodatków wspomagających ich przemianę, może dojść do przewlekłego zakwaszenia i kłopotów z utrzymaniem rezerw tlenowych w organizmie. Żeby się odkwasić, organizm wykorzystuje swój magnez, fosfor, potas i wapń (z kości, zębów), a to może prowadzić do osteoporozy.

PRZY OKAZJI: NAPOJE GAZOWANE TEŻ ZAKWASZAJĄ ORGANIZM!

Jeśli nie stosujemy diety rozdzielnej i przesadzamy z węglowodanami, to niestrawione resztki cukrów posłużą za pożywkę dla bakterii, grzybów i pasożytów w jelicie grubym. Drożdżaki Candida, które przy prawidłowym odżywianiu są pożyteczne, przy nadmiarze cukrów rozmnażają się nadmiernie i tworzą grzybnię niebezpieczną dla zdrowia. Wytwarzają także substancję podobną do insuliny, ale wzmagającą apetyt na słodycze.

Od białego cukru i tworzonych z niego substancji słodzących można się uzależnić. Tym bardziej więc warto je ograniczać, a najlepiej w ogóle wykreślić z jadłospisu dzieci. Przetwarzane słodycze, ciastka, cukierki, lody i słodzone napoje traktowane są często jako nagroda dla dziecka, a niektórym maluchom zastępują normalne posiłki. Szkodzą rozwijającym się organizmom, a także ich systemom nerwowym.

JAK JEŚĆ WĘGLOWODANY?

Oto kilka zasad spożywania różnych rodzajów węglowodanów:

▸ nie łączymy ich w jednym posiłku z białkami;

▸ staramy się nie mieszać różnych rodzajów węglowodanów w jednym posiłku: np. warzywa strączkowe (źródło białka) jemy bez chleba i kasz;

▸ nie łączymy chleba, naleśników, makaronów itd. z cukrem;

▸ posiłki węglowodanowe jemy w pierwszej połowie dnia, bo dają najwięcej energii;

▸ przed daniem węglowodanowym można zjeść sałatkę warzywną, bo dostarczy nam błonnika i enzymów, które pomogą strawić skrobię;

▸ nie pijemy tuż po zjedzeniu węglowodanów (dotyczy to każdego posiłku).

45

BŁONNIK

Błonnik pokarmowy to grupa substancji pochodzenia roślinnego, które nie są trawione i wchłaniane przez nasz organizm. Pektyny, gumy i śluzy to substancje rozpuszczalne. Regulują one procesy trawienia i wchłaniania pokarmu. Te substancje znajdziemy w owocach, nasionach roślin strączkowych, ziarnach jęczmienia i owsa, warzywach korzeniowych. Celuloza, lignina i hemicelulozy są nierozpuszczalne. Działają w jelitach jak miotła i zapobiegają zaparciom. Występują w nasionach, płatkach, kaszach, produktach pełnoziarnistych, warzywach i orzechach.

Wszystkim polecam porcję błonnika na śniadanie.

PLUSY:

- jama ustna: błonnik spowalnia przeżuwanie, zmusza do gryzienia, wyzwala napływ śliny – następuje naturalne czyszczenie zębów, m.in. z cukrów;

- żołądek: w żołądku błonnik pęcznieje, napiera na ściany żołądka – daje uczucie sytości i zmniejsza apetyt, pomaga w walce z nadwagą;

- jelita: błonnik spowalnia proces przesuwania się miazgi pokarmowej przez układ trawienny, co pozwala na stopniowe wchłanianie się cukrów i tłuszczu. Pokarm ubogi w błonnik wchłania się za szybko. W jelicie cienkim błonnik wiąże nadmiar kwasów tłuszczowych, żółci, cholesterolu, metali ciężkich i substancji rakotwórczych; umożliwia wydalenie ich z kałem. Błonnik w połączeniu z wodą ułatwia wypróżnianie się;

- układ krwionośny – błonnik zmniejsza wydzielanie insuliny i stabilizuje poziom cukru we krwi; obniża poziom cholesterolu i trójglicerydów – znacznie ogranicza ryzyko wystąpienia miażdżycy;

- błonnik obniża indeks glikemiczny posiłku.

PŁATKI OWSIANE TO DOSKONAŁY PREZENT DLA JELIT. A W CIĄGU DNIA – JABŁKA (PEKTYNY!), SURÓWKI Z WARZYW, PIECZYWO PEŁNOZIARNISTE, KASZE.

WAŻNE! Błonnik tak wspaniale zadziała, gdy dostarczymy organizmowi co najmniej **2 litry płynów dziennie**!

MOŻLIWE MINUSY:

- zbyt duża jednorazowa dawka błonnika nierozpuszczalnego w wodzie może spowodować wzdęcie;
- wpływ na skuteczność niektórych leków – warto się skonsultować z lekarzem;
- nadmiar błonnika może zmniejszać wchłanianie magnezu, żelaza i cynku;
- u osób z wrażliwym układem pokarmowym błonnik może powodować bolesne podrażnienia.

OWOCE

PRZEDSTAWIĘ TU MOJE WŁASNE OPINIE NA TEMAT JEDZENIA OWOCÓW, WYNIKAJĄCE Z LEKTUR, OBSERWACJI MOJEGO ORGANIZMU, ROZMÓW Z LEKARZAMI I DIETETYKAMI – PRAKTYKAMI, M.IN. Z DIETETYKIEM **JACKIEM KUCHARSKIM** I LEKARZEM **ZDZISŁAWEM KUBATEM**.

Wiem, że niektórzy eksperci od żywienia mają (czasem krańcowo) różne zdanie od mojego. Jeśli kiedyś moja opinia ulegnie zmianie, bo np. dotrę do istotnych badań, które mnie przekonają, że nie mam racji – poinformuję Was o tym, moi mili Czytelnicy ☺. A oto post z bloga, gdzie odpowiedziałam zbiorowo na pytania dotyczące owoców:

▸ Surowe owoce można łączyć z nabiałem, pod warunkiem że jest to jogurt naturalny, kefir lub zsiadłe mleko. **Nie dotyczy to produktów mlecznych ze sklepu**, ponieważ są tak wysoko przetworzone, że nie mają odpowiedniej flory bakteryjnej, niezbędnej do strawienia takiego połączenia (a także kazeiny zawartej w mleku). Substancje, dzięki którym te produkty są trwałe, zatrzymują rozwój dobroczynnych dla nas bakterii. Dlatego jogurt powinniśmy robić w domu, co nie jest trudne.

▸ Owoce można łączyć z węglowodanami, ale najlepiej na ciepło – gotowane, pieczone. Dlatego w moich przepisach na śniadania pojawia się np. jabłko gotowane z płatkami owsianymi.

47

- Melony jemy osobno.
- Ideałem byłoby niełączenie ze sobą różnych rodzajów owoców. Można więc zrobić sałatkę np. z owoców leśnych, ale nie należy dodawać do niej banana. Można za to łączyć słodkie ze słodkimi, kwaśne z kwaśnymi itd.
- Nie dodajemy do surowych owoców cukru ani słodzików!!!
- Owoce jemy w sezonie, gdy są świeże. Lato to wspaniały czas na owoce – mają wówczas najwięcej wartości odżywczych i chłodzą. Suszone – ogrzewają.
- Owoce jemy raczej w pierwszej połowie dnia. Na pewno nie powinny być ostatnim posiłkiem przed snem.

TRZYMAM SIĘ WSZYSTKICH
POWYŻSZYCH ZASAD.
ALE JAK ZWYKLE, PROSZĘ
– OBSERWUJCIE SIEBIE,
A TAKŻE SWOJE POCIECHY.
REAKCJA ORGANIZMU
NA POSIŁEK BYWA
ISTOTNĄ WSKAZÓWKĄ,
CZY COŚ NAM SZKODZI.

Czasem sygnały, jakie daje ciało, niesłusznie lekceważymy.

BIAŁKA

NASZ ORGANIZM WŁAŚCIWIE ZBUDOWANY JEST Z BIAŁEK, ALE MUSIMY WCIĄŻ DOSTARCZAĆ JE W POŻYWIENIU, PONIEWAŻ ULEGAJĄ ONE NIEUSTANNYM PROCESOM ROZPADU I ODNOWY. O JAKOŚCI TYCH PROCESÓW DECYDUJĄ AMINOKWASY, Z KTÓRYCH SĄ ZBUDOWANE BIAŁKA.

Część aminokwasów musimy dostarczać w pożywieniu, bo organizm nie potrafi ich syntetyzować. Takie aminokwasy nazywa się egzogennymi; należą do nich: izoleucyna, leucyna, lizyna, metionina, fenyloalanina, treonina, tryptofan i walina. Seryna i arginina to aminokwasy, które organizm wytwarza sam, ale podczas choroby lub stresu nie jest w stanie wyprodukować ich w wystarczającej ilości, więc istotne jest dostarczanie ich w pokarmie.

Piszę o aminokwasach – składowej białek – nie bez powodu. Otóż wartość odżywczą białek, które dostarczamy z pożywieniem, w istotnym stopniu określają ilość i rodzaj aminokwasów, które w tych białkach się znajdują. Poza tym o wartości odżywczej białek decydują ich strawność oraz ilość energii, jakiej nam dostarczają.

Eksperci FAO i WHO zdecydowali, że wzorcem do porównań wartości białek pokarmowych będą mleko kobiece i kurze jajo, jako że zawarte w nich białka są najefektywniej wykorzystywane przez organizm. Jednak istnieje wiele metod oznaczania wartości białek i trudno byłoby mi w tej książce opisać nawet niektóre z nich, zwłaszcza że wciąż trwają spory naukowe na ten temat. Dotyczą one samych podstaw żywienia.

MIĘSO

Wiele publikacji podaje mięso jako podstawowe źródło białka pokarmowego, a tym samym traktuje białka zawarte w zbożach lub warzywach jako mało wartościowe. Rośnie jednak, także wśród naukowców, grupa zwolenników diety wegetariańskiej. Oni na dowód swoich racji również przedstawiają zestawy dobrze udokumentowanych badań. Twierdzą, że

Najchętniej jednak jem tłuste ryby, bo dostarczają mi nie tylko białka, lecz także m.in. kwasów omega-3

UPROSZCZONA LISTA NAJISTOTNIEJSZYCH FUNKCJI BIAŁEK

▶ są materiałem budulcowym dla tkanek, enzymów, hormonów i innych związków niezbędnych nam do życia;

▶ decydują o prawidłowym wzroście i rozwoju człowieka;

▶ decydują o regeneracji tkanek;

▶ w płynach ustrojowych rozprowadzają składniki odżywcze, lekarstwa i gazy oddechowe – po całym organizmie;

▶ dbają o transport wewnątrzkomórkowy;

▶ są podstawowym składnikiem układu odpornościowego – przeciwciała to białka;

▶ regulują zawartość płynów we wszystkich strukturach organizmu;

▶ wspomagają utrzymanie równowagi kwasowo-zasadowej.

owszem, mięso zawiera białko pożądane przez ludzki organizm, ale można je zastąpić białkami dostarczanymi w nabiale, zbożach, warzywach czy orzechach. Rezygnują z mięsa – swoją decyzję motywują jego szkodliwością dla ludzi i wpływem na rozwój miażdżycy i nowotworów.

Wiem, że wśród sportowców są wegetarianie, a nawet weganie, ale moja wiedza na temat zapotrzebowania na różne białka w warunkach bardzo intensywnego treningu każe mi traktować białko zwierzęce jako stały, choć nie dominujący składnik pożywienia. Oczywiście, staram się, żeby to białko pochodziło z dobrego źródła. Nie kupuję i nie jem wędlin i innych wyrobów z mięsa, bo w procesie przetwarzania traci ono istotne składniki odżywcze, a jest „wzbogacane" o szkodliwe substancje. Nie jem wieprzowiny, jedynie chudy drób. Najchętniej jednak jem tłuste ryby, bo dostarczają mi nie tylko białka, lecz także m.in. kwasów omega-3.

Nie mam jednak nic przeciwko diecie wegetariańskiej. Jej zwolennicy powinni tylko (i aż) zadbać o to, by dostarczyć wszystkich składników w innych pokarmach, gdyż w przeciwnym razie organizm nie będzie funkcjonował prawidłowo.

MLEKO

Pisałam wcześniej, że mleko kobiece jest uznane za wzorzec dobrze przyswajalnego białka. Jeśli matka odżywia się zdrowo, jej mleko jest dla niemowlęcia najlepszym pokarmem. Jest w nim laktoza, która dociera do jelita grubego i dba o właściwe środowisko dla kwasu mlekowego. W mleku kobiecym w odpowiednich proporcjach ilościowych znajdują się kwasy omega-3, omega-6 i omega-9, które zapewniają dobry rozwój intelektu, oraz wiele

innych składników niezbędnych do zdrowego wzrostu dziecka.

Niestety, mleko krowie różni się od mleka ludzkiego. Zawiera bowiem kazeinę – białko, które jest nam potrzebne tylko w początkowym okresie życia. Kazeina jest trawiona dzięki podpuszczce – enzymowi, który produkujemy tylko w niemowlęctwie. W trawieniu kazeiny pomocne są bakterie zawarte w mleku. Ale i tu jest problem. Mleko i jego przetwory sprzedawane w sklepach, przetworzone na różne sposoby, mają trwale zahamowaną aktywność dobroczynnych bakterii. Służy to trwałości i urodzie produktów mlecznych, ale nie służy naszemu zdrowiu.

ZWOLENNICY SPOŻYWANIA KROWIEGO MLEKA PODKREŚLAJĄ JEGO ROLĘ W DOSTARCZANIU ORGANIZMOWI DOBREGO WAPNIA.

Ale wapń można znaleźć także w warzywach, jajach, owocach, otrębach i orzechach, w których znajdują się składniki mineralne ułatwiające proces jego przyswajania. Wapń z krowiego mleka pasteryzowanego w ogóle nie wchłania się do kości, natomiast przez odkładanie się w miękkich tkankach bywa przyczyną miażdżycy i zapaleń stawów. Wszystkie pozostałe elementy,

WAPŃ MOŻNA ZNALEŹĆ TAKŻE W WARZYWACH, JAJACH, OWOCACH, OTRĘBACH I ORZECHACH, W KTÓRYCH ZNAJDUJĄ SIĘ SKŁADNIKI MINERALNE UŁATWIAJĄCE PROCES JEGO PRZYSWAJANIA.

PIĆ MLEKO
I JOGURTY
CZY NIE?

dzięki którym mleko krowie jest wartościowe, także z łatwością znajdziemy w innych surowcach pokarmowych. Większość produktów mlecznych dostępnych na rynku jest homogenizowana. Homogenizacja to mechaniczne rozdrabnianie i mieszanie cząsteczek, które naturalnie nie występują połączone. Homogenizacja mleka powoduje, że część jego składników, które w normalnej postaci nie zostałyby przyswojone przez organizm i wydalone, w postaci rozdrobnionej zostaje wchłonięta do krwi i staje się jedną z przyczyn zawałów i chorób układu krążenia. Po co się więc homogenizuje mleko? Rzekomo, aby poprawić jego wygląd i walory smakowe. Podobnie ma się rzecz ze

słodzeniem jogurtów i kefirów, które przez to tracą swoje wartości odżywcze.

To pić mleko i jogurty czy nie? Jeśli dobrze tolerujesz laktozę (co w obecnych czasach nie jest oczywiste), to pij krowie mleko, a jeszcze lepiej – kozie, ale naturalne, nie sklepowe. I obserwuj, jak Twój organizm reaguje. Jeszcze zdrowiej jest postawić na mleko poddane fermentacji: zsiadłe lub kefir. Ale też naturalne! Bakterie namnożone w zsiadłym mleku mają dobry wpływ na nasze jelita. Dobroczynne są też bakterie z domowego kefiru. Działają jak żołnierze na froncie: walczą z chorą florą jelit, wygrywają ze złymi bakteriami i wstrzymują mnożenie się grzybów i pasożytów. A człowiek ze zdrowymi jelitami jest znacznie mniej narażony np. na nowotwory.

Jak zrobić prawdziwy domowy kefir? Dietetyk **Jacek Kucharski** jest zwolennikiem produkcji domowego kefiru za pomocą grzybka tybetańskiego. Sprawdził go na sobie, poleca go pacjentom. Podobnie jak doktor Kubat.

Mleko poddane aktywności grzybka tybetańskiego zamienia się w kefir. Taki napój zawiera wyjątkowe spektrum kultur bakterii i drożdży, witamin i enzymów. Jest doskonałym probiotykiem. Grzybek tybetański przechowywany w odpowiedni sposób starcza na długo, właściwie na zawsze – jeśli go już mamy, to stajemy się hodowcami. Produkcja kefiru nie nastręcza żadnych trudności, trzeba tylko pamiętać, by grzybek i napój nie miały styczności z metalem (nakrętki od słoików!). Gdy wyjeżdżamy z domu – grzybek świetnie się przechowa w zamrażarce.

Jeśli chcecie rozpocząć przygodę z kefirem z grzybka, bądźcie ostrożni – wrażliwcy mogą przeżyć rewolucję. Wojna bakterii w jelitach bywa mocno odczuwalna. Łatwiej ją przetrwać, gdy kefir wprowadzamy do menu stopniowo.

Osoby, które już przyzwyczaiły organizm do kefiru, mogą go latem pić codziennie, gdyż taki napój miło chłodzi. Można go mieszać z owocami, bo zestaw bakterii w takim kefirze świetnie radzi sobie z trawieniem połączenia „kefir + owoce". Zimą lepiej robić przerwy co 2–3 tygodnie.

Zapewne niektórzy czytelnicy znów się obruszą, że polecam „jakieś drogie wymysły". Otóż ja polecam to, co uważam za zdrowe, co jest sprawdzone, do czego mam przekonanie. Osobom, dla których grzybek jest zbyt egzotyczny, pozostaje zsiadłe mleko, całkiem dobre rozwiązanie, pod warunkiem, że nie ze sklepu.

JAK JEŚĆ BIAŁKA

▶ Produktów z przewagą białek nie należy łączyć z produktami węglowodanowymi.

▶ Można łączyć białka z tłuszczem roślinnym (najlepiej oliwą z oliwek, olejem z pestek winogron), masłem klarowanym lub niewielką ilością masła surowego.

▶ Dobrze jest łączyć białka z warzywami, z wyjątkiem ziemniaków.

▶ W posiłku złożonym ze składników z różnych grup białko spożywamy na końcu.

▶ Dobrze jest jeść białka na kolację, bo w nocy organizm się regeneruje i do tych procesów potrzebuje białek.

▶ Lepiej nie łączyć w jednym posiłku różnych białek.

53

TŁUSZCZE

TŁUSZCZE MOŻNA DZIELIĆ NA WIELE SPOSOBÓW, ALE NIE BĘDĘ ICH TU PRZYTACZAĆ, BO DLA NAS JAKO KONSUMENTÓW ISTOTNA JEST PRZEDE WSZYSTKIM ICH WARTOŚĆ ODŻYWCZA. TAK JAK O WARTOŚCI ODŻYWCZEJ BIAŁEK DECYDUJĄ ZAWARTE W NICH AMINOKWASY (LICZBA I RODZAJE), TAK O WARTOŚCI ODŻYWCZEJ TŁUSZCZÓW PRZESĄDZAJĄ KWASY TŁUSZCZOWE, KTÓRE SIĘ W NICH ZNAJDUJĄ.

ZNACZENIE KWASÓW TŁUSZCZOWYCH

Kwasy tłuszczowe nasycone (patrz tabelka) znacznie przyspieszają odkładanie się blaszki miażdżycowej w tętnicach. Wiele badań jasno też wykazuje, że te kwasy sprzyjają chorobom nowotworowym, zwłaszcza rakowi piersi u kobiet, rakowi jelita grubego i prostaty u mężczyzn. Tylko kwasy zawarte w skorupiakach i kurczakach bez skóry nie podwyższają poziomu cholesterolu.

Kwasy tłuszczowe jednonienasycone mogą zastąpić w diecie kwasy nasycone. Spełniają bowiem wszystkie pozytywne role tłuszczów, ale nie sprzyjają miażdżycy i powstawaniu nowotworów.

Kwasy tłuszczowe wielonienasycone (omega-3, omega-6 i omega-9) oprócz funkcji wymienionych na początku tego rozdziału pełnią wiele funkcji szalenie istotnych dla naszego zdrowia:

- regulują transport cholesterolu;
- wzmacniają naczynia włosowate;
- regulują masę ciała i prawidłowy wzrost;
- dbają o zdrowie skóry;
- zwiększają odporność na infekcje;
- regulują pracę nerek;
- mają wpływ na prawidłową pracę serca;
- ułatwiają gojenie się ran;
- mają pozytywny wpływ na układ nerwowy.

Jednak żeby kwasy omega spełniły wszystkie swoje pożyteczne funkcje, trzeba zadbać o ich odpowiednie proporcje w pożywieniu, a zwłaszcza proporcje kwasów omega-3 (N3) do omega-6 (N6). Prawidłowy stosunek tych kwasów (N3:N6) powinien wynosić 2:1. Jeśli będziemy przestrzegać poniższych zasad spożywania tłuszczów, skorzystamy ze wszystkich ich walorów i nie narazimy naszego zdrowia na żadne szkody.

GŁÓWNE FUNKCJE TŁUSZCZÓW

▸ są skoncentrowanym źródłem energii dla tkanek i narządów;

▸ są głównym magazynem energii dla organizmu;

▸ są budulcem błon komórkowych i substancji białej mózgu;

▸ stabilizują położenie narządów;

▸ hamują wydzielanie kwaśnego soku żołądkowego;

▸ chronią przed utratą ciepła;

▸ mają wpływ na stan skóry i włosów;

▸ mają wpływ na stan układu krążenia;

▸ są źródłem witamin A, D, E i K i ułatwiają ich przyswajanie z innych produktów;

▸ mają wpływ na funkcjonowanie układu nerwowego;

▸ wspomagają trawienie węglowodanów.

PRODUKT	KWASY TŁUSZCZOWE OGÓŁEM [w gramach na 100 gramów produktu]		
	nasycone	jedno-nienasycone	wielo-nienasycone
olej słonecznikowy	11,1	19,5	65,1
olej sojowy	12,0	35,5	48,1
olej rzepakowy	6,7	63,0	25,8
olej kukurydziany	12,3	26,3	56,9
olej palmowy	53,7	35,5	6,3
olej z pestek winogron	10,8	20,6	68,7
oliwa z oliwek	14,9	70,1	10,6
masło	49,3	26,3	2,3
smalec	43,6	44,5	7,6
margaryna twarda 80%	18,2	41,0	14,5
margaryna miękka 80%	18,2	26,4	31,8
margaryna miękka 45%	11,9	16,4	14,4
mix roślinno-zwierzęcy 60%	33,7	20,3	5,6

*Tabela stworzona na podstawie książki „Żywienie człowieka, podstawy nauki o żywieniu"
pod red. Jana Gawęckiego, s. 188.*

WSZYSTKIE KWASY TŁUSZCZOWE MAJĄ WPŁYW NA POZIOM CHOLESTEROLU WE KRWI I TO JEST PODSTAWOWE KRYTERIUM UZNAWANIA TŁUSZCZÓW ZA ZDROWE LUB NIEZDROWE. DLATEGO TERAZ NAPISZĘ PARĘ ZDAŃ O CHOLESTEROLU, KTÓRY JEST NAM NIEZBĘDNY DO ŻYCIA, CHOĆ MA WYJĄTKOWO ZŁĄ OPINIĘ.

CHOLESTEROL

W osoczu krwi lub surowicy cholesterol występuje w powiązaniu z białkami i tworzy lipoproteiny. Lipoproteiny o małej gęstości to LDL, a o dużej gęstości – HDL.

LDL transportuje cholesterol do komórek, w tym do komórek nabłonka naczyń tętniczych. Jeśli warunki temu sprzyjają, odkłada się w tych naczyniach, stopniowo tworzy blaszkę miażdżycową i staje się przyczyną niedokrwiennej choroby serca. Dlatego LDL nazywa się potocznie złym cholesterolem.

HDL transportuje cholesterol z naczyń tętniczych do wątroby. Działa przeciwmiażdżycowo i nazywa się go dobrym cholesterolem.

ZASADY SPOŻYWANIA TŁUSZCZÓW

▸ Tłuszcze można łączyć z węglowodanami i warzywami.

▸ Ilość tłuszczu w diecie powinna być ograniczona.

▸ Tłuszcze smażone są bardzo szkodliwe, dlatego najlepiej ich unikać. Jeśli jednak potrawa musi być usmażona, to używajmy do tego celu masła klarowanego, oliwy z oliwek lub oleju kokosowego.

▸ Należy ograniczyć do minimum spożycie tłuszczów stałych zawierających kwasy nasycone.

▸ Tłuszcze roślinne, które powinny stanowić większość spożywanych tłuszczów, należy jeść w postaci olejów z pierwszego tłoczenia na zimno.

▸ Najzdrowsze są oleje z pestek winogron, siemienia lnianego, wiesiołka, ogórecznika – obniżają poziom cholesterolu we krwi. Zdrowy jest także olej kokosowy.

▸ Tłuszcz zawarty w rybach działa ochronnie na serce, więc warto zadbać o jego stałą obecność w diecie. Najzdrowsze są ryby świeże.

▸ Należy wyeliminować z diety margaryny, bo zawierają bardzo szkodliwe izomery trans. Poza tym margaryny i mieszanki tłuszczów roślinnych i zwierzęcych są produktem sztucznym, którego organizm nie przyswaja.

Cholesterol jest produkowany przez organizm, ale musimy go dostarczać także w pożywieniu. Niestety, jeśli **dostarczymy go zbyt dużo**, to wzrośnie jego stężenie we krwi.

JAK ZROBIĆ MASŁO KLAROWANE?

Wyjąć masło z papierka i włożyć do garnka, a następnie zalać ciepłą przegotowaną wodą. Gotować na małym ogniu przez godzinę. Ostudzić i wstawić garnek do lodówki. Kiedy masło zastygnie, zlać wodę.

W ten sposób otrzymujemy prawie czysty tłuszcz – pozbawiony wody i oczyszczony z resztek innych substancji pochodzących z mleka krowiego.

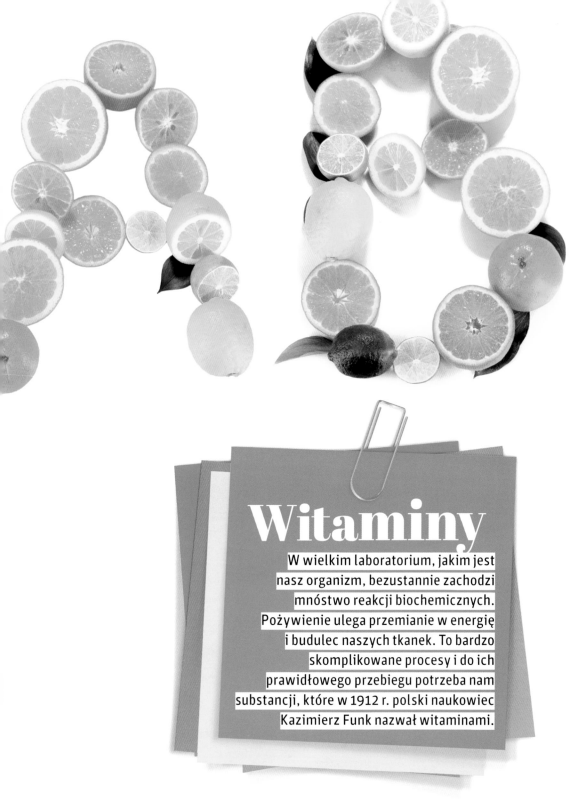

Witaminy

W wielkim laboratorium, jakim jest nasz organizm, bezustannie zachodzi mnóstwo reakcji biochemicznych. Pożywienie ulega przemianie w energię i budulec naszych tkanek. To bardzo skomplikowane procesy i do ich prawidłowego przebiegu potrzeba nam substancji, które w 1912 r. polski naukowiec Kazimierz Funk nazwał witaminami.

Wiele osób na hasło „witamina" wyobraża sobie kolorową tabletkę. Kilkadziesiąt lat temu zaczęto na wielką skalę produkować tanie preparaty witaminowe. Przemysł farmaceutyczny do dziś czerpie wielkie zyski z syntetycznych witamin, powszechnie dostępnych bez recepty, i ich różnych mieszanek. Suplementacja bardzo się przydała – niemal zwalczono krzywicę, szkorbut i niektóre inne awitaminozy. Mimo to nadal są kraje, w których do tej pory brak wystarczającej ilości witamin w pożywieniu powoduje poważne schorzenia.

Nam te schorzenia nie muszą zagrażać. Jeśli jemy świadomie, możemy organizmowi dostarczyć wystarczająco dużo składników odżywczych w pożywieniu, czyli w naturalnej postaci, a więc łatwiej przyswajalnej. Ilość witamin i minerałów konieczna do zdrowego życia wcale nie jest tak duża, byśmy mieli kłopoty z jej niedoborem w codziennym menu. A jeżeli wspomagamy się tabletkami bez uzgodnienia tego z lekarzem, możemy zrobić krzywdę sobie lub bliskim, bo i nadmiar witamin jest szkodliwy.

Witaminy rozpuszczalne w wodzie

KIEDY KOMPONUJEMY NASZ JADŁOSPIS, MUSIMY UWZGLĘDNIĆ W NIM PRODUKTY, KTÓRE ZAWIERAJĄ WITAMINY. SZCZEGÓLNĄ UWAGĘ POWINNIŚMY ZWRÓCIĆ NA WITAMINY ROZPUSZCZALNE W WODZIE, BO ORGANIZM ICH NIE MAGAZYNUJE, A NADMIAR WYDALA Z MOCZEM. DLATEGO TAK ISTOTNE JEST ICH SYSTEMATYCZNE, CODZIENNIE DOSTARCZANIE.

WITAMINA C (kwas askorbinowy)

Większość zwierząt syntetyzuje własną witaminę C. Tylko ludzie, małpy i świnki morskie nie wytwarzają jej w organizmach i muszą przyjmować ją w pożywieniu. Jest ważna, ale kłopotliwa, bo wyjątkowo nietrwała. Gotowanie i duszenie, zwłaszcza bez przykrycia (kontakt z tlenem), powoduje duże straty tej witaminy. Podobnie działa suszenie (np. owoców), kontakt z promieniami UV (soki przechowywane w jasnych butelkach), konserwowanie benzoesanem sodu. Aspiryna, sulfonamidy i barbiturany niszczą witaminę C, więc warto uważać, w jakim towarzystwie podajemy ją w celach leczniczych. Zamrażanie przetworów pozwala tę witaminę zachować.

Palacze papierosów i osoby spożywające alkohol pozbawiają się na własne życzenie dobrodziejstw witaminy C.

Witamina C jest nam niezbędna. Jej niektóre funkcje to:

▸ stymulacja wytwarzania kolagenu;

▸ udział w syntezie hormonów i transmiterów;

▸ poprawa przyswajalności żelaza;

▸ istotny udział w metabolizmie lipidów;

▸ jest przeciwutleniaczem – ogranicza działanie wolnych rodników.

Witamina C przeciwdziała chorobie niedokrwiennej serca i nadciśnieniu tętniczemu. Wspomaga detoksykację i znacznie poprawia pracę układu odpornościowego.

PRZEWLEKŁE NIEDOBORY WITAMINY C MOGĄ POTĘGOWAĆ ZMIANY MIAŻDŻYCOWE I NOWOTWOROWE. DBAJMY O JEJ CODZIENNE DOSTARCZANIE, JEŚLI CHCEMY ZACHOWAĆ ZDROWIE.

Gdzie znajdziemy tę cenną substancję? W warzywach i owocach. Najwięcej witaminy C zawierają owoce dzikiej róży i aronii, czarne porzeczki, świeża nać pietruszki, brokuły, kiszona kapusta. Ważnym źródłem witaminy C są pomidory, a także ziemniaki. Zawierają ją też (nieco mniej) inne owoce – truskawki, kiwi, owoce cytrusowe.

WITAMINA
C

ŚWIEŻA NAĆ
PIETRUSZKI

WITAMINA B$_1$ (tiamina)

Pod koniec XIX w. w Azji nowe technologie pozwoliły na produkcję białego ryżu bez otrąb. Ryż stał się tańszy, ale pozbawiono go witamin z grupy B, czego efektem stała się powszechność choroby beri-beri prowadzącej do wycieńczenia organizmu. Odkrycie witaminy B$_1$ i wyodrębnienie jej z ryżowych otrąb pozwoliło zwalczyć tę straszną awitaminozę. Tak więc najpierw pozbawiliśmy naturalne produkty cennych składników i doprowadziliśmy do powstania strasznych schorzeń, a następnie wyleczyliśmy je tymi samymi cennymi składnikami, ale w formie chemicznej. To spektakularny przykład absurdu w działaniach dla „dobra ludzkości".

Witamina B$_1$ jest nietrwała, źle znosi podgrzewanie w środowisku zasadowym. Jej rozkład następuje po 15 minutach gotowania, a przyspiesza go dodatek sody. Witamina B$_1$ jest wrażliwa na działanie tlenu, ale za to jest odporna na działanie światła. Procesy pozbawiające ziarna otrąb (efektem tych procesów są biała mąka i biały ryż) powodują ogromne straty tiaminy.

Główne funkcje witaminy B$_1$:

▸ uczestnictwo w procesach neurofizjologicznych – istotna rola w przenoszeniu impulsów nerwowych
▸ pobudzanie wydzielania hormonów gonadotropowych
▸ uczestnictwo w przemianie węglowodanów
▸ koenzym wielu enzymów.

W diecie pozbawionej tiaminy zapasy tej witaminy w organizmie mogą wyczerpać się już po 2 tygodniach. Istotne jest więc, aby codziennie ją spożywać. Alkohol bardzo zwiększa zużycie witaminy B$_1$, podobnie jak palenie papierosów. Więcej tiaminy potrzebują sportowcy i kobiety karmiące.

Niedobór tiaminy skutkuje gromadzeniem się w tkankach kwasów pirogronowego i mlekowego, co wpływa bardzo niekorzystnie na układ nerwowy, na pracę serca i powoduje zmiany czynnościowe i morfologiczne.

Najwięcej tiaminy (na 100 g) jest w drożdżach, soi, warzywach strączkowych, niepalonej kaszy gryczanej, mięsie. Jedzmy więc rośliny strączkowe i pełne ziarna zbóż!

WITAMINA
B₁

WARZYWA
STRĄCZKOWE

WITAMINA B$_2$ (ryboflawina)

Bogatym źródłem ryboflawiny są drożdże oraz skiełkowane ziarna zbóż. Poza tym witaminę B$_2$ znajdziemy w mleku, makrelach, jajach, mięsie i produktach zbożowych z pełnego ziarna.

Ryboflawina jest dość odporna na podgrzewanie w roztworze wodnym. Niestety, pod wpływem światła ulega przekształceniom i traci aktywność biologiczną.

Główne funkcje witaminy B$_2$:

▸ udział w przemianach węglowodanów, tłuszczów i białek;

▸ istotna rola w wytwarzaniu energii w łańcuchu oddechowym;

▸ istotna rola w funkcjonowaniu układu nerwowego;

▸ istotna rola w funkcjonowaniu błon śluzowych, nabłonka naczyń krwionośnych, skóry;

▸ istotna rola w funkcjonowaniu narządu wzroku.

Objawy niedoboru tiaminy:

▸ „zmęczone" oczy, pieczenie pod powiekami;

▸ nadwrażliwość na światło;

▸ zajady, pękanie warg, łuszczenie się skóry twarzy;

▸ niedokrwistość;

▸ zahamowanie wzrostu.

WITAMINA B$_3$, WITAMINA PP
(niacyna, kwas nikotynowy + nikotynamid)

Niacynę znajdziemy w drożdżach (40 mg), otrębach pszennych (35 mg), orzeszkach ziemnych (17 mg), rybach morskich (8 mg), mięsie (7–10 mg) [ilości w 100 g produktu].

Niacyna jest bardzo trwałą witaminą. Jest odporna na działanie światła i na zmiany temperatury. Nie rozkłada się pod wpływem tlenu, kwasów i substancji zasadowych.

Główne funkcje:

▸ istotnie przyczynia się do prawidłowej pracy mózgu i układu nerwowego;

▸ odgrywa istotną rolę w syntezie hormonów płciowych, kortyzolu, tyroksyny i insuliny;

▸ wpływa na poziom cholesterolu;

▸ uczestniczy w procesach utleniania i redukcji;

▸ ma wpływ na stan skóry.

WITAMINA B₃

RYBY MORSKIE

Badania nad ciężką chorobą – pelagrą, stwierdzaną u źle odżywiających się ludzi – przyczyniły się do odkrycia tej witaminy. Po raz kolejny udowodniono, że braki witaminowe mogą prowadzić do poważnych schorzeń, a nawet śmierci. Dlatego dbajmy o ich obecność w naszym menu.

WITAMINA B₅ (kwas pantotenowy)

Witamina B₅ znajduje się we wszystkich tkankach zwierzęcych i roślinnych. Najwięcej jest jej w drożdżach (5,3 mg), warzywach strączkowych (świeży groch – 2,1 mg), mięsie (0,4–2 mg), grzybach (1,7 mg), jajkach (1,8 mg), warzywach zielonych (brokuły – 11,7 mg) [ilości w 100 g produktu]. Podczas gotowania produkty tracą ok. połowy zawartości tej witaminy.

Główne funkcje:

▸ udział w metabolizmie węglowodanów, białek i tłuszczów;

▸ udział w reakcjach dostarczających energię do syntezy;
  bardzo wielu związków, m.in. przeciwciał;

▸ udział w regeneracji skóry i błon śluzowych.

Badania wykazały, że niedobór kwasu pantotenowego może powodować tzw. zespół piekących stóp, zmęczenie, zaburzenia snu. Mniejszą zawartość witaminy B_5 stwierdzono u osób w podeszłym wieku, pijących alkohol i u osób stosujących farmakologiczne środki antykoncepcyjne.

WITAMINA B_6 (pirydoksyna)

Pirydoksyna znajduje się w wielu produktach, ale w niewielkich ilościach. Najwięcej jest jej w drożdżach (1,1 mg), mięsie (0,2–0,5 mg), rybach (0,38 mg), roślinach strączkowych, pełnych ziarnach zbóż i warzywach liściastych [ilości w 100 g produktu]. Witamina B_6 jest jedną z mniej trwałych witamin. Jej zawartość w różnych produktach zmniejsza się w wyniku mrożenia, podczas każdej obróbki kulinarnej, a także w czasie przemiału zbóż.

Główne funkcje witaminy B_6:

▸ bierze udział w przemianach aminokwasów;

▸ jest absolutnie niezbędna do prawidłowego
  funkcjonowania układu nerwowego;

▸ bierze udział w metabolizmie węglowodanów
  złożonych i procesach glukoneogenezy.

Ponieważ witamina B_6 bierze udział w metabolizmie neuroprzekaźników, jej niedobór może skutkować starzeniem się neuronów, neuropatią, drgawkami i depresją. Przyczynami niedoborów pirydoksyny – oprócz jej niewielkiego spożycia – mogą być picie alkoholu lub przyjmowanie leków. U zwierząt z niedoborem pirydoksyny stwierdzano stłuszczenie wątroby, zmiany miażdżycowe i zmniejszoną syntezę insuliny.

WITAMINA B_9 (kwas foliowy)

Witamina B_9 jest bardzo ważna dla naszego zdrowia, i to już w okresie płodowym. Na szczęście znajduje się w bardzo wielu produktach żywnościowych. Doskonałe jej źródła to wątroba (220 µg), ciemnozielone warzywa liściaste: szpinak (155 µg), brukselka (100 µg), bób (130 µg), groszek (87 µg), kalafior (120 µg), brokuły (90 µg).

WITAMINA **B9** SZPINAK

67

[ilości w 100 g produktu]. Najlepiej jeść takie warzywa na surowo lub w postaci blanszowanej. Foliany są też w drożdżach, jajkach i kiełkach zbóż.

Foliany nie są odporne na działanie wysokich temperatur, promieni słonecznych i kwasów. Gotowanie znacznie obniża zawartość kwasu foliowego, np. w 100 g szpinaku surowego jest 155 µg folianów, a w 100 g gotowanego – tylko 29–90 µg.

Główne funkcje kwasu foliowego:

▶ odgrywa istotną rolę w przemianach wielu aminokwasów;
▶ odgrywa istotną rolę w procesach krwiotwórczych;
▶ jest ważny dla rozwoju wszystkich komórek organizmu;
▶ jest niezbędny do prawidłowego funkcjonowania układu nerwowego.

Możliwe skutki niedoboru folianów:

▶ niedokrwistość megaloblastyczna;
▶ zwiększone prawdopodobieństwo nowotworów;
▶ u starszych osób – dysfunkcja umysłowa;
▶ u płodu: niedorozwój łożyska, wady wrodzone, zwłaszcza cewy nerwowej.

NA NIEDOBORY KWASU FOLIOWEGO NARAŻONE SĄ KOBIETY W CIĄŻY, DZIEWCZĘTA W OKRESIE DOJRZEWANIA I OSOBY STARSZE. PRZYCZYNAMI NIEDOBORÓW MOGĄ BYĆ TEŻ CHOROBY PRZEWODU POKARMOWEGO, PALENIE PAPIEROSÓW, ALKOHOLIZM, DIETY ODCHUDZAJĄCE I PRZYJMOWANIE NIEKTÓRYCH LEKÓW.

Przyjmuje sie, że dorosła osoba potrzebuje co najmniej 100 µg kwasu foliowego dziennie.

WITAMINA B$_{12}$ (kobalamina)

Witamina B$_{12}$ to nazwa grupy substancji zawierających m.in. kobalt. Jedna z jej nazw chemicznych to kobalamina.

Najwięcej witaminy B$_{12}$ znajduje się w wątrobie wołowej (122 µg), wątrobie cielęcej (104 µg), nerkach cielęcych (63 µg), kurzej wątrobie (24 µg), ostrygach (21 µg), żółtku jaj (9,3 µg), tuńczyku (2,8 µg) [ilości w 100 g produktu].

Z tego względu kobalamina jest jednym z głównych argumentów przeciwników diety wegetariańskiej – uważają oni, że wegetarianie i weganie pozbawiają siebie i swoje dzieci istotnego składnika odżywczego. Rzeczywiście – kobalamina jest nam absolutnie niezbędna do prawidłowego funkcjonowania (zwłaszcza

WITAMINA **B**₁₂

naszego układu nerwowego). Dlatego wegetarianie powinni dostarczać ją drogą suplementacji.

Główne funkcje witaminy B₁₂:

▸ udział w syntezie białek;

▸ tworzenie elementów morfotycznych krwi;

▸ udział w budowie osłonek nerwowych;

▸ udział w syntezie DNA;

▸ synteza poliglutaminianów (folianów w postaci aktywnej).

NIEDOBÓR KOBALMINY MOŻE BYĆ BARDZO GROŹNY, MOŻE NAWET PROWADZIĆ DO UTRATY ŻYCIA. BYWA BOWIEM PRZYCZYNA ANEMII ZŁOŚLIWEJ I TRWAŁYCH USZKODZEŃ UKŁADU NERWOWEGO.

Witaminę B_{12} syntetyzują także mikroorganizmy naszej flory jelitowej, więc wegetarianie nie muszą cierpieć na niedobór kobalaminy. Witamina B_{12} jest magazynowana w wątrobie, zapas tej substancji bez dostarczania z zewnątrz starcza na wiele miesięcy. Stwierdzony niedobór B_{12} najczęściej spowodowany jest jej złym wchłanianiem – błona śluzowa żołądka nie wytwarza substancji wiążącej kobalaminę. Do wchłaniania witaminy B_{12} niezbędne są też jony wapnia.

Zapotrzebowanie dorosłego to 2 µg kobalaminy na dobę. Witamina B_{12} jest trwałą witaminą, jej straty w procesach kulinarnych są nieduże.

WITAMINA H (biotyna)

Należy do grupy witamin B, czasem przedstawiana jest jako witamina B_7. W żywności występuje w stanie wolnym oraz związana z białkiem. W białej części kurzego jajka znajduje się białko o nazwie awidyna, które blokuje wykorzystanie biotyny. Na szczęście gotowanie powoduje denaturację awidyny i biotyna staje się przyswajalna.

Główne funkcje biotyny:

▸ jest grupą prostetyczną wielu enzymów;

▸ odgrywa ważną rolę w glukoneogenezie;

▸ ma bardzo istotny wkład w syntezę kwasów tłuszczowych;

▸ bierze udział w procesach regulacji poziomu cholesterolu.

Niedobór biotyny objawia się suchością lub złuszczeniem skóry, łupieżem, wypadaniem włosów, niedokrwistością, znużeniem. Biotyna to bez wątpienia przyjaciel urody, bo ma duży wpływ na stan skóry i owłosienia. Jest trwałą witaminą.

Biotynę zawierają: wątróbka (100 µg), mąka sojowa (60 µg), orzechy włoskie (37 µg), prażone orzechy ziemne (34 µg), jajka (20 µg), kalafiory (17 µg), grzyby (16 µg) [ilości w 100 g produktu]. Biotynę zawierają też zielony groszek i szpinak.

Witaminy rozpuszczalne w tłuszczach

POD LITERAMI A, D, E, K KRYJĄ SIĘ CAŁE GRUPY ZWIĄZKÓW, KTÓRE MAJĄ PODOBNĄ STRUKTURĘ CHEMICZNĄ I DZIAŁANIE BIOLOGICZNE. WITAMINY TE WYSTĘPUJĄ W TŁUSZCZOWYCH SKŁADNIKACH ŻYWNOŚCI.

D o wchłaniania wymagają żółci, a do transportu w organizmie – lipoprotein. Do krwi przechodzą przez układ limfatyczny. Krew transportuje te witaminy do wątroby i tkanki tłuszczowej, gdzie są one magazynowane. Dzięki temu działają bardzo długo, ale też może to skutkować szkodliwym nadmiarem.

WITAMINA A

Pod symbolem A kryją się retinol, retinal, kwas retinowy i jego sole, estry retinylu, pochodne retinolu i retinalu oraz karetonoidy, nazywane prowitaminami A.

Główne funkcje witaminy A:

▶ budowa naskórka i skóry;

▶ umożliwienie widzenia;

▶ utrzymanie stabilności komórek nabłonkowych;

▶ synteza hormonów kory nadnerczy;

▶ umożliwienie wydzielania tyroksyny z tarczycy;

▶ utrzymanie prawidłowych osłonek nerwowych;

▶ udział w budowie erytrocytów.

W żywności pochodzenia zwierzęcego znajduje się retinol i jego pochodne, natomiast prowitaminy A występują w produktach roślinnych. Najbogatsze w witaminę A są oleje rybne (trany). Karotenoidy występują w żółtych, pomarańczowych i czerwonych warzywach oraz owocach. Znajdziemy je też w zielonych liściach warzyw. Dużo retinolu jest w wątróbce, zawierają ją także tuńczyk i węgorz, jaja, masło, sery dojrzewające. Mleczne produkty odtłuszczone są niemal pozbawione witaminy A. W czasie obróbki kulinarnej straty witaminy A nie są duże, dochodzą do 25%.

WITAMINA A JEST BARDZO WRAŻLIWA NA OBECNOŚĆ TLENU.

Wykorzystanie dostarczonej witaminy A zależy od składników diety. Białko dobrej jakości i w odpowiedniej ilości (10–20%) pozwala na zwiększenie jelitowego wchłaniania witaminy A oraz na jej dalszy transport. Nadmierna ilość niezbędnych nienasyconych kwasów tłuszczowych w pokarmie powoduje wzrost zapotrzebowania na witaminę A.

Niedobór cynku utrudnia syntezę białka wiążącego retinol. Podobnie duże znaczenie ma obecność żelaza, które z kolei zmniejsza biodostępność karotenu.

Niedobór witaminy A może być spowodowany jej brakami w pożywieniu lub zaburzeniami wchłaniania. Trudno rozpoznać taki stan, ponieważ organizm ma zwykle zapasy tej witaminy i skutki niedoborów widoczne są czasem dopiero po kilku latach od wystąpienia zaburzeń. Pierwsze objawy to zwykle suchość skóry i gęsia skórka. Gruczoły łzowe źle funkcjonują, a gałka oczna traci przejrzystość. Pojawia się kurza ślepota. Podobne zmiany jak w spojówkach pojawiają się w drogach oddechowych, przewodzie pokarmowym, układzie moczowym. Osłabia się odporność.

Groźny bywa też nadmiar witamin w organizmie. Jego objawy to:

▸ ociężałość;
▸ osłabienie mięśni;
▸ zahamowanie wzrostu;
▸ utrata apetytu;
▸ owrzodzenie skóry;
▸ łysienie;
▸ wytrzeszcz;
▸ obrzmienie powiek;
▸ krwotoki.

Należy więc zachować rozsądek – to bardzo ważne w dobie powszechnej suplementacji oraz dodawania syntetycznych witamin do mleka i tłuszczów.

WITAMINA D

To wyjątkowa witamina. Dorośli ludzie, poza kobietami w ciąży i matkami karmiącymi, wytwarzają ją w niemal dostatecznej ilości z prowitaminy obecnej w skórze. Witamina D działa podobnie do hormonów – w nerkach są syntetyzowane jej metabolity, a krew transportuje je do tkanek i kości. Tę witaminę magazynujemy w tkance tłuszczowej oraz mięśniach szkieletowych.

Główne funkcje witaminy D:

▸ jest niezbędna do tworzenia kości;
▸ wzmaga wchłanianie wapnia i fosforu z żywności;
▸ reguluje proporcje między wapniem a fosforem;
▸ pobudza uwalnianie wapnia z kości;
▸ utrzymuje poziom wapnia w osoczu.

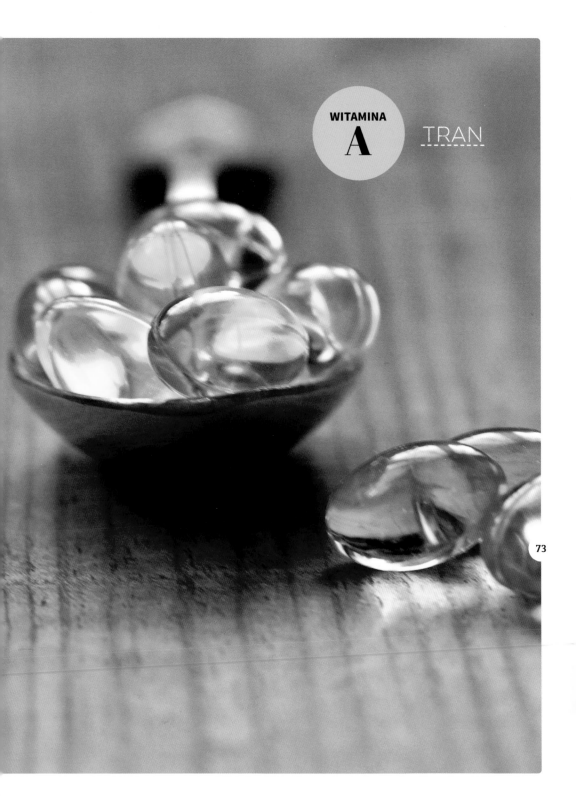

WITAMINA
A
TRAN

Niedobór witaminy D prowadzi do krzywicy, a u dorosłych – do osteoporozy. Nadmiar jest szkodliwy, a wystąpić może, jeśli spożywa się dużo żywności wzbogaconej w tę witaminę lub stosuje się suplementację.

W żywności witamina D występuje śladowo, głównie w tranie, minimalne ilości są obecne w ziarnach zbóż i olejach roślinnych. Zawierają ją tłuste ryby. Niektóre przetwory mleczne, a także produkty zbożowe są sztucznie wzbogacane w witaminę D.

WITAMINA E (tokoferol)

Jej nazwa pochodzi od greckich słów *tokos* – rodzenie i *phero* – noszę. Witamina E jest głównym przeciwutleniaczem, czyli zwalcza wolne rodniki; chroni też przed utlenianiem witaminę A i wielonienasycone kwasy tłuszczowe. Po przejściu z jelita do limfy witamina E, związana z lipoproteinami, dociera do krwi i jest transportowana do magazynów: nadnerczy, jąder, gruczołów śluzowych, płytek krwi i tkanki tłuszczowej.

Główne funkcje witaminy E:

▸ podstawowy przeciwutleniacz;

▸ zapobieganie arteriosklerozie;

▸ zapobieganie niektórym nowotworom;

▸ stabilizacja błon komórkowych.

Niedobór witaminy E zdarza się niezwykle rzadko i dotyczy raczej osób z zaburzeniami wchłaniania.

Głównym źródłem witaminy E są oleje roślinne, ale występuje ona także w produktach zbożowych i warzywach. Smażenie i pieczenie powoduje duże straty witaminy E, obecność metali ciężkich i zjełczałego tłuszczu powoduje jej całkowity rozkład. Rafinacja olejów niszczy 70% witaminy E w nich zawartej. Warzywa tracą tokoferol w procesie suszenia.

WITAMINA K

Jest znana jest przede wszystkim jako podstawowy czynnik odpowiadający za prawidłowe krzepnięcie krwi – jest niezbędna do syntezy białek w tym procesie.

Źródłem witaminy K są przede wszystkim zielone części roślin, a jej ilość jest wprost proporcjonalna do zawartości chlorofilu. Rośliny bezchlorofilowe nie zawierają witaminy K, a właściwie K_1, bo tak oznacza się witaminę pozyskiwaną z roślin. Witamina K_2, mająca podobne właściwości biochemiczne, jest

wytwarzana przez niektóre drobnoustroje. Flora bakteryjna przewodu pokarmowego syntetyzuje tę witaminę.

Główne funkcje witaminy K:

▶ ma ogromny wpływ na krzepliwość krwi;

▶ jest niezbędna w syntezie białek kości, odpowiada za ich prawidłowe uwapnienie;

▶ działa przeciwbakteryjnie i przeciwgrzybicznie.

Niedobory witaminy K zdarzają się rzadko.

To dość trwała witamina. Jej zawartość w roślinach bywa różna i zależy od stopnia dojrzałości rośliny. Przechowywanie i obróbka kulinarna nie powodują znacznych strat witaminy K w żywności.

MINERAŁY

WĘGLOWODANY I TŁUSZCZE DAJĄ NAM ENERGIĘ, BIAŁKA – BUDULEC, A WITAMINY
I SKŁADNIKI MINERALNE POZWALAJĄ REGULOWAĆ WSZYSTKIE SKOMPLIKOWANE
PROCESY, KTÓRE ZACHODZĄ W NASZYCH ORGANIZMACH. MINERAŁY PODZIELONO NA
DWIE DUŻE GRUPY, BIORĄC POD UWAGĘ ICH ZAWARTOŚĆ W USTROJU ORAZ DZIENNE
ZAPOTRZEBOWANIE. SĄ TO MAKROELEMENTY I MIKROELEMENTY.

Makroelementy

Makroelementy to składniki mineralne, których zawartość w organizmie człowieka jest większa niż 0,01 % suchej masy. To wapń, fosfor, magnez, potas, sód,
chlor i siarka. Zapotrzebowanie dzienne na makroelementy przekracza 100
mg. Ponieważ są to pierwiastki niezbędne nam do życia, musimy dostarczać je
w pożywieniu.

WAPŃ *(Ca)*

Zacytuję tu wypowiedź specjalisty ds. żywienia **Jacka Kucharskiego**, który po-
dzielił się informacjami o wapniu na swoim blogu. To wiedza oparta na praktyce,
dlatego jest szczególnie cenna:

*Wapń to bardzo ważny składnik mineralny naszego organizmu, mający wpływ na
wiele mechanizmów regulacyjnych. Jest niezbędny w wielu procesach, m.in. w przewodnictwie nerwowo-mięśniowym. Wpływa na czynność mięśni i decyduje o prawidłowym rozwoju i regeneracji układu kostnego. Uczestniczy w procesach krzepnięcia
krwi, aktywacji niektórych enzymów, wpływa na przepuszczalność błon, a także ma
działanie antyalergiczne.*

*Problem z przyswajaniem wapnia z diety leży w zawartości pierwiastków antagonistycz-
nych, np. fosforu w mleku i serach. Stosunek ten w naszym organizmie można idealnie
zobrazować analizą pierwiastkową włosa, a odpowiednią dietą i suplementacją doprowadzić go do wartości prawidłowych. Z mojego doświadczenia wiem, że bardzo rzadko
mamy braki wapnia w diecie, z tego powodu nie polecam zazwyczaj suplementowania
samym wapniem. W swojej praktyce używam wapnia z magnezem w stosunku 3:1 z wit.
D, wzmocnionego manganem i cynkiem, a głównym zadaniem tego suplementu nie jest
uzupełnianie wapnia, ale zwiększenie skuteczności mechanizmu wchłaniania go z diety.*

*Chciałbym zwrócić uwagę na inny problem związany z gospodarką wapniem, który
obserwuję w analizach włosów. Sytuacja ta związana jest z transmineralizacją tego*

pierwiastka. Ok. 99% wapnia powinno znajdować się w kośćcu, a tylko ok. 1% – w innych tkankach. Zmiany tych proporcji są spowodowane zakwaszeniem. Organizm ludzki nie może pozwolić sobie na obniżenie pH tkanek i jak najszybciej podnosi wapniem pH w zakwaszonych strefach. Zabiera go z kości, stawów i przenosi do zakwaszonych tkanek. Taki właśnie proces powoduje, że mamy problem zarówno w kościach, jak i w innych tkankach. Nasze problemy z gospodarką wapniową nie są więc spowodowane niedoborem wapnia w diecie, lecz jego złym rozmieszczeniem w organizmie. Należy pamiętać, że to złe rozmieszczenie wapnia może skutkować miedzy innymi kontuzjami, bo np. nadmiar wapnia w tkankach miękkich powoduje skurcze mięśni, kruchość naczyń krwionośnych, nieelastyczność ścięgien w stawach itp.

Głównym minerałem przeciwdziałającym problemom z wapniem jest krzem.

Zawartość *Ca*:

(mg w 100 g produktu)

mak, skorupki jaj	1300
kelp, ser kozi, tofu	1093
ser szwajcarski	925
cheddar	750
mesquite	520
karob, sardynki z ośćmi	325
amarantus, komosa ryżowa (quinoa)	250
rzepa	246
migdały, gryka	234
drożdże piwne	210
kukurydza	200
mleko owcze	193
mniszek lekarski	187
mleko kozie	129
suszone figi	126
maślanka	121
słonecznik	120
jogurt	120
pełne mleko	118

FOSFOR *(P)*

Mamy go w organizmie równie dużo jak wapnia. To podstawowy składnik kości i zębów. Odgrywa bardzo istotną rolę w przepuszczalności błon komórkowych, regulacji pobudliwości nerwów, przewodnictwie bodźców nerwowych, krzepliwości krwi. Silnie wpływa na równowagę kwasowo-zasadową.

Ponieważ fosfor występuje niemal we wszystkich produktach spożywczych, dostarczamy go z pokarmem w wystarczającej ilości. Problemem jest jednak stosunek fosforu (anionu wewnątrzkomórkowego) do wapnia (kationu pozakomórkowego). Aby wchłanianie obu minerałów przebiegało prawidłowo, stosunek wapnia do fosforu powinien wynosić 1:1 (u dorosłych). Tak też kształtują się te proporcje w naturalnych produktach. Niestety, obecnie dodaje się wiele związków fosforu do żywności przygotowywanej przemysłowo. Wędliny, sery topione, niemal wszystkie produkty proszkowe są wzbogacane związkami fosforu w celu poprawienia ich trwałości, wyglądu i smaku. Inne produkty sztucznie wzbogaca się wapniem, czasem także witaminą D, niezbędną w procesie jego wchłaniania. Nie gwarantuje to utrzymania właściwych proporcji minerałów w organizmie. Lepiej zatem jeść produkty naturalne.

Fosfor odnajdziemy w tych samych produktach co wapń.

MAGNEZ (Mg)

Magnez to obok wapnia i fosforu kolejny składnik kości i zębów, który zwiększa ich wytrzymałość poprzez udział w powstawaniu fosforanu wapnia. Połowa magnezu znajduje się w tkankach miękkich, przede wszystkim w mięśniach. Wchłanianie magnezu poprawia się w obecności białka, tłuszcze zaś hamują ten proces. Ten minerał warunkuje dostarczanie energii do mięsni, bo ma znaczny udział w procesach syntezy i rozpadu związków wysokoenergetycznych. Magnez wpływa na przemiany białek i jest aktywatorem około 300 enzymów. Niedobór magnezu może skutkować wzrostem stężenia wolnych kwasów tłuszczowych i cholesterolu w osoczu. Magnez stabilizuje przepuszczalność błon komórkowych, ponieważ reguluje w ten sposób stężenie potasu w komórkach oraz zapobiega gromadzeniu się sodu i wapnia. Niedobór magnezu powoduje więc arytmię serca i nadciśnienie. Niedobory tego minerału powstają przez zbyt małą jego ilość w pożywieniu oraz przez nadmierne wydalanie z moczem, np. w sytuacji stresu.

Magnez znajduje się w kakao, produktach zbożowych (kasza gryczana), grochu, fasoli, orzechach, płatkach owsianych.

Jacek Kucharski o przyswajaniu magnezu pisze tak:

Zdolność przyswajania tego pierwiastka jest różna u różnych ludzi, uzależnione jest to od właściwego funkcjonowania m.in. gruczołów wydzielania wewnętrznego (tarczyca, przysadka i in.) i obecności innych minerałów czy witamin, np. manganu, chromu czy witamin z grupy B. Tak, celowo napisałem „witamin z grupy B", a nie witaminy B_6. To prawda, że witamina B_6 jest podstawą przyswajania magnezu, ale ona sama potrzebuje do funkcjonowania innych witamin z tej grupy. Dlatego w suplementacji proponuję sam magnez i dodatkowo B complex, oczywiście pochodzenia naturalnego.

SÓD (Na)

Sód jest składnikiem soków trzustkowego i jelitowego oraz głównym kationem płynu zewnątrzkomórkowego – odpowiednie stężenie sodu w płynie odpowiada za ciśnienie osmotyczne płynów ustrojowych, co chroni organizm przed nadmierną utratą wody. Wpływa na równowagę kwasowo-zasadową, kurczliwość mięśni i przewodnictwo nerwowe. Sód jest aktywatorem trombiny, wpływa więc istotnie na krzepliwość krwi. Bierze udział w transporcie aminokwasów i cukrów. Nadmiar sodu może spowodować obrzęki i nadciśnienie.

Sód znajdziemy w soli kuchennej, rybach solonych i wędzonych, serach podpuszczkowych i pieczywie oraz we wszystkich produktach konserwowanych solą.

POTAS (K)

90% potasu zawartego w organizmie znajduje się wewnątrz komórek (główny kation płynu), a 8% jest składnikiem kości. Potas reguluje więc objętość komórek i osmotyczne ciśnienie wewnątrzkomórkowe – na gospodarkę wodną organizmu wpływa podobnie jak sód. Minerał ten pozwala utrzymać równowagę kwasowo-zasadową. Jest antagonistą wapnia w regulacji przepuszczalności błon komórkowych. Wpływa też na czynność mięśni i układu nerwowego.

Potas dostarczymy organizmowi, jeśli jemy warzywa strączkowe, orzechy, ziemniaki, ryby, porzeczki, banany i mięso.

CHLOR (Cl)

Chlor jest głównym anionem płynów pozakomórkowych, a razem z sodem i potasem reguluje gospodarkę wodną organizmu oraz równowagę kwasowo-zasadową. Występuje w soku żołądkowym i ślinie, w której aktywuje amylazę. Razem z sodem i potasem wpływa na czynność komórek nerwowych i mięśniowych, w tym serca.

Znajduje się w soli kuchennej i wszystkich produktach konserwowanych solą.

SIARKA (S)

Siarka znajduje się m.in. we włosach, skórze, chrząstkach i paznokciach. Jest składnikiem koenzymu A, tiaminy, biotyny, insuliny. Wpływa na detoksykację organizmu.

Produkty zawierające siarkę to m.in.: wołowina, kapusta, czosnek, chrzan, kalafior, jarmuż, cebula, por, rzepa i rukola.

Mikroelementy

ŻELAZO *(Fe)*

Żelazo dostarczamy do organizmu, jeśli jemy mięso (zwłaszcza wątróbkę), nabiał, rośliny strączkowe, natkę pietruszki i zboża. Wchłania się w jelicie cienkim, ale istotną rolę w tym procesie odgrywają kwas solny zawarty w soku żołądkowym oraz witamina C. Białko o nazwie transferyna transportuje żelazo w osoczu, skąd jest wychwytywane przez komórki szpiku kostnego i zużywane do syntezy hemoglobiny. Żelazo bierze udział w detoksykacji, desaturacji kwasów tłuszczowych, wpływa na system odpornościowy i pełni wiele innych istotnych funkcji. Niedobór żelaza może spowodować niedokrwistość. Bardzo istotne jest, by kobiety ciężarne i karmiące piersią dostarczały organizmowi właściwą ilość żelaza.

CYNK *(Zn)*

Jacek Kucharski pisze o cynku:

Cynk jest niezbędnym pierwiastkiem podczas regeneracji. Jest minerałem rozpuszczalnym w wodzie, więc organizm go nie magazynuje i trzeba go uzupełniać codziennie. Jego przyswajanie przez organizm jest bardzo różne, w zależności od jakości pożywienia oraz interakcji zachodzących między nim a innymi pierwiastkami.

1. *Ma duży wpływ na funkcję układu rozrodczego (zwłaszcza u mężczyzn).*

2. *Działa odtruwająco – jest antagonistą kadmu i ołowiu (często z powodu tych toksyn brakuje nam tego minerału).*

3. *Jest składnikiem enzymów trawiennych (brak łaknienia u dzieci jest często spowodowany brakiem cynku).*

4. *Bierze udział w metabolizmie białek i węglowodanów.*

5. *Bierze udział w magazynowaniu insuliny (od braku cynku zaczyna się cukrzyca).*

6. *Wspomaga układ immunologiczny.*

7. *Bierze udział w utrzymaniu równowagi takich pierwiastków śladowych jak mangan, magnez, selen i miedź.*

8. *Minerał ten ma też wpływ na nasze właściwe nastawienie do życia.*

PRODUKTY, KTÓRE ZAWIERAJĄ CYNK, TO M.IN.: OSTRYGI, DYNIA I JEJ PESTKI, WOŁOWINA, BARANINA, PŁATKI OWSIANE, SOCZEWICA I ORZECHY WŁOSKIE.

Cynk przyswaja się wieczorem, więc najlepiej jeść produkty bogate w ten minerał na kolację, a suplement zażywać przed snem. Dawka dla dorosłego człowieka to 10–20 mg na dzień.

MIEDŹ (Cu)

Minerał, o którym na ogół nie myślimy tak często jak o żelazie. A to od miedzi właśnie zależy prawidłowa gospodarka żelazem w organizmie. Miedź jest składnikiem wielu enzymów. Od niej zależy nasz wygląd – miedź bierze udział w syntezie barwnika skóry i włosów (melaniny) oraz białka skóry i włosów (keratyny). Wpływa na rozkład wolnych rodników, tworzy wiązania kolagenu i elastyny.

Źródłem miedzi są orzechy, rośliny strączkowe, kasza jaglana, jęczmień, buraki.

MANGAN (Mn)

Jacek Kucharski o manganie pisze tak:

Jest on naturalnym przeciwutleniaczem, aktywuje niektóre enzymy biorące udział w regeneracji tkanki łącznej. Wspomaga działanie magnezu. Jest niezbędnym składnikiem kości. Jest potrzebny do rozwoju mięśni. Jego niedobór powoduje zahamowanie wzrostu i rozwoju. Zmiany zwyrodnieniowe w kościach w tkance łącznej właściwej i mięśniowej, np. problem z krążkami międzykręgowymi, odnawiające się kontuzje ścięgien, brak stabilności stawów – są ściśle związane z niedoborem tego minerału. Wymieniłem tylko te funkcje tego pierwiastka, które dotyczą regeneracji, ogólnie jest ich dużo więcej. Źródłem manganu w diecie są orzechy (migdały), rokitnik i pełne ziarna zbóż (2–14 mg na kg), brązowy ryż, ananasy, wątroba, mniejsze ilości zawierają ryby i owoce morza, fasola, groszek, buraki, fasola, szpinak, bazylia. Wyjątkowo bogata w mangan jest herbata (!). Mangan wchłania się do organizmu po południu i wieczorem, dlatego ważny jest czas spożywania ww. produktów.

FLUOR (F)

Fluor znajduje się przede wszystkim w kościach i zębach. Bierze udział w budowie tkanki kostnej i zwiększa odporność emalii zębów na kwasy organiczne. Niewielka część fluoru jest w ślinie, co powstrzymuje aktywność drobnoustrojów w płytce nazębnej i zwiększa remineralizację szkliwa.

Głównym źródłem fluoru jest woda. Niewielkie ilości dostarczymy organizmowi, jeśli jemy ryby i pijemy herbatę.

MOLIBDEN (Mo)

Pierwiastek ten jest częścią wielu enzymów. Wpływa na metabolizm wapnia i fosforu, uczestniczy w przemianie białek. Znajdziemy go w warzywach strączkowych, czerwonej kapuście, jajach, kaszy gryczanej.

JOD (I)

Pierwiastek doskonale znany mającym problemy z tarczycą, stanowi bowiem integralną część jej hormonów. Ponieważ jod reguluje pracę tarczycy, wpływa bezpośrednio na pracę układu nerwowego, temperaturę ciała, kurczenie się mięśni itd. Jod występuje też w innych gruczołach dokrewnych, także w mięśniach, ale w śladowych ilościach.

Głównym źródłem jodu jest sól jodowana, zawierają go też ryby morskie.

SELEN (Se)

Selen jest kolejnym pierwiastkiem wpływającym na pracę tarczycy. Odgrywa również bardzo ważną rolę w funkcjonowaniu układu immunologicznego, chroni organizm przed działaniem wolnych rodników. Selen i witamina E wspomagają wzajemnie swoją aktywność. Źródła selenu to owoce morza, ryby, kukurydza, orzechy (zwłaszcza arachidowe).

CHROM (Cr)

Jest składową czynnika tolerancji glukozy, wpływa na łaknienie. Obniża stężenie całkowitego cholesterolu, a podwyższa poziom frakcji HDL („dobrego" cholesterolu). Zapobiega więc cukrzycy i miażdżycy. Źródłem chromu są zielony groszek, czarny pieprz, grejpfruty, grzyby, karczochy, mięso, orzechy, ostrygi, rodzynki, ryż brązowy , szparagi, śliwki, wątroba cielęca, żółtka jaj.

KOBALT (Co)

Kobalt jest składnikiem witaminy B_{12}. Wpływa na procesy regeneracji w organizmie. Jego źródła to fasola, cebula, wątroba, kapusta.

NIKIEL (Ni)

Ten pierwiastek jest składnikiem metaloenzymów. Wpływa w istotny sposób na metabolizm wapnia, cynku i witaminy B_{12}. Deficyt niklu jest przyczyną zahamowania wzrostu. Źródłem niklu są kakao, orzechy, rośliny strączkowe i kasze.

KRZEM (Si)

To niezwykle ważny pierwiastek. Znajduje się w kościach, skórze i ścianach naczyń krwionośnych. Krzem jest niezbędny do mineralizacji kości, dużą rolę odgrywa w procesie regeneracji. Brak krzemu powoduje nadmierne odkładanie się glinu w mózgu oraz zaburza metabolizm tkanki łącznej i kości. Krzem znajdziemy w kaszach i warzywach korzeniowych.

WANAD (V)

Wanad znajduje się w kościach, płucach, wątrobie i nerkach. Wpływa na mineralizację kości, metabolizm glukozy i rozrodczość. Hamuje syntezę cholesterolu. Źródłem wanadu są owoce morza, grzyby i zioła przyprawowe.

CYNA (Sn)

Odkłada się w wątrobie i śledzionie. Niedobór cyny sprzyja zahamowaniu wzrostu, powoduje łysienie i zaburza metabolizm minerałów. Cynę znajdziemy w owocach i warzywach.

BOR (B)

Bor kumuluje się w kościach. Uczestniczy w metabolizmie wapnia. Ma wpływ na funkcje mózgu i wzrost. Źródłem boru są orzechy, warzywa liściaste i strączkowe, a także owoce i grzyby.

W minionym roku poszerzyłam i ugruntowałam
swoją wiedzę o analizie pierwiastkowej włosów.
To szczególne badanie, które pozwala określić
ilość składników mineralnych w organizmie.

Wszystkim Wam polecam tę metodę badania. Zwłaszcza osobom, które mają problem z utrzymaniem równowagi psychofizycznej. **Analizę można zamówić za pośrednictwem mojego bloga.**

Analiza pierwiastkowa włosów

Wszystkie składniki mineralne są nam niezbędne i powinny być dostarczane wraz z pożywieniem. Wciąż trwają badania nad ich rolą w procesach zachodzących w organizmie i nad skutkami niedoborów tych substancji. Wiele już ustalono. Znane są na przykład zależności między ilością niektórych pierwiastków w tkankach a konkretnymi chorobami, często ciężkimi. Zdrowy człowiek ma w organizmie potrzebne pierwiastki w odpowiednich ilościach i, co ważne, w odpowiednich proporcjach. Wszystkie składniki odżywcze wzajemnie na siebie oddziałują i w przypadku niedoboru lub nadmiaru niektórych z nich procesy biochemiczne w organizmie bywają zakłócone, co skutkuje chorobami.

Włosy mają homogeniczną chemicznie strukturę tkanki. Otoczka chroni tę tkankę przed zanieczyszczeniami i pozwala zachować jej integralność. Ponieważ w obrębie włosa nie ma naczyń krwionośnych, nie zachodzi wymiana jego składników z innymi strukturami. Dlatego badanie włosów bywa bardziej miarodajne niż badanie krwi, w której organizm zawsze dąży do równowagi biochemicznej, czasem kosztem istniejących tkanek.

Do wyniku analizy pierwiastkowej zwykle dołączane są wskazania żywieniowe. Czasem okazuje się, że badany powinien dość radykalnie zmienić dietę, jeśli chce być zdrowy. Analiza pomaga ustalić typ metaboliczny badanego, określić jego tendencje chorobowe i ewentualnie wskazać na konieczność suplementacji niektórych pierwiastków. Oznaczana jest też ilość 5 pierwiastków toksycznych.

> Właściwy suplement, czyli **dodatek**,
> powinien uzupełnić w diecie to,
> czego organizmowi brakuje do podstawowego
> działania, a nie do przyśpieszania naturalnych
> procesów, które w nim zachodzą.

SUPLEMENTACJA

O OPINIE NA TEN KONTROWERSYJNY TEMAT POPROSIŁAM SPECJALISTĘ
OD SUPLEMENTACJI, DIETETYKA **JACKA KUCHARSKIEGO**.
PONIŻEJ ZNAJDUJE SIĘ JEGO ARTYKUŁ.

O naszym zdrowiu i samopoczuciu decydują niezliczone procesy biochemiczne i fizykochemiczne zachodzące w bilionach komórek człowieka. Należy pamiętać, że metabolizm człowieka wiąże się ze spożywaniem żywności i wydalaniem zbędnych produktów przemiany materii. To od nas zależy, czy w pożywieniu dostarczymy naszemu organizmowi wszystkie elementy konieczne do prawidłowego przebiegu metabolizmu. Szczególnie istotne jest to w dzisiejszych czasach, gdy zalewa nas moda na szybkie posiłki, przygotowane z przetworzonych produktów spożywczych, pozbawionych prawie w całości podstawowych minerałów. Obecnie nasze pożywienie nie dostarcza nam wszystkich substancji odżywczych koniecznych do prawidłowego funkcjonowania organizmu.

Nasz organizm powinien codziennie dostać odpowiednią ilość witamin, minerałów, węglowodanów, białek i tłuszczów. I jeśli zabraknie czegokolwiek, organizm ma problemy z podstawowymi procesami życiowymi. Nie wszystkie składniki są magazynowane i dlatego niektóre uzupełniać trzeba codziennie.

Przyczyny niedoborów mineralnych w pożywieniu:

▸ Niedobory mineralne w glebie, pogłębiane przez uprawę nastawioną na szybki wzrost i dużą biomasę. Rolnicy nawożą tylko minerałami przyśpieszającymi wzrost roślin.

▸ Zakwaszenie gleby, przez co niektóre minerały nie są pobierane przez rośliny (np. krzem).

▸ Przetworzenie żywności.

Ze względów ekonomicznych żywność jest przetwarzana i konserwowana, co bardzo zmniejsza jej wartość odżywczą. Oczyszczenie (rafinowany cukier, biała mąka, biały ryż) powoduje, że usuwamy z produktów większość minerałów i witamin niezbędnych do przetworzenia tych węglowodanów w organizmie. Spożywanie takiej oczyszczonej żywności powoduje odmineralizowanie tkanek, bo organizm pobiera z nich potrzebne mu składniki, aby normalnie funkcjonować. A jak magazyny w tkankach już się wyczerpią, to wtedy zaczynają się choroby. Przyczyną niedoborów w organizmie jest też zmiana trybu życia – w skrócie można powiedzieć, że w przeszłości ludzie mieli więcej ruchu, mniej stresu, a teraz jest odwrotnie i zmiany w żywności idą w przeciwnym kierunku niż zapotrzebowania współczesnego człowieka.

REMEDIUM NA NIEDOBORY JEST SUPLEMENTACJA

Prekursorem suplementacji w Polsce był dr Julian Aleksandrowicz. Sprowadził on do Polski ponad 40 lat temu analizę pierwiastkową tkanki włosa, i właśnie to badanie stało się narzędziem, które w dużej mierze przyczyniło się do szybszego rozwoju medycyny ortomolekularnej w naszym kraju.

Medycyna ortomolekularna zajmuje się badaniem wpływu odżywiania mineralnego na procesy zachodzące w naszym organizmie na poziomie komórkowym. Oprócz podstaw fizjologii komórki ten dział medycyny korzysta z analizy pierwiastkowej włosów (APW) – badaniu, które jako jedyne określa prawdziwy poziom minerałów w organizmie. Tylko to badanie pozwala stwierdzić, na ile minerały i witaminy z diety i suplementów zostały przyswojone i właściwie spełniły swoje zadanie. I tylko to badanie powinno być podstawą ułożenia właściwej selektywnej suplementacji.

APW pokazała, jak ważne są stan przewodu pokarmowego i jakość trawienia:

nie zawsze to, co wprowadzimy do ust, dochodzi do odpowiedniego miejsca w organizmie. APW unaoczniła też, jak ważna jest jakość (naturalność) suplementów, zwłaszcza witaminowych.

To badanie zdyskredytowało syntetyczne preparaty witaminowe, ponieważ wykazało ich niską przyswajalność i zaleganie nieprzyswojonej części suplementu. Przy systematycznym używaniu syntetyczne witaminy raczej zaburzają procesy metaboliczne w organizmie, niż je wspomagają. Dlatego częsta opinia lekarzy, że suplementy niewiele pomagają, w przypadku syntetycznych witamin jest prawdziwa.

Trochę inaczej wygląda sytuacja z minerałami, gdyż syntetyczne minerały w postaci właściwej soli są dobrze przyswajalne i bardzo dobrze się sprawdzają, zwłaszcza przy dużych niedoborach pojedynczych minerałów. Oczywiście, te pozyskiwane ze źródeł naturalnych są lepsze, ale nie ma tak dużej dysproporcji w przyswajalności jak w przypadku witamin. Do selektywnej suplementacji nie bardzo nadają się preparaty multimineralne, dlatego że każdy minerał ma swoją porę wchłaniania, co wyklucza jednoczesne wchłonięcie wszystkich składników preparatu. Drugim problemem przy wchłanianiu preparatów multimineralnych są przenośniki białkowe. I tak np. mangan, chrom, cynk i żelazo mają ten sam przenośnik i jeśli chcielibyśmy uzupełnić znaczny niedobór jednego z nich, to musielibyśmy podać go osobno. W naturalnych produktach ten problem jest regulowany właściwymi proporcjami białek i minerałów.

Suplementacja witaminowo-mineralna powinna być stosowana bardzo selektywnie i powinna ją poprzedzić APW. Antagonistyczne i synergistyczne działanie ww. składników ma bardzo duże znaczenie podczas właściwej suplementacji. Minerały lub witaminy mające ten sam rozpuszczalnik też działają na siebie antagonistycznie (np. witamina C i witaminy z grupy B, witamina E i witaminy D, A). To samo jest ze wspomnianymi przenośnikami białkowymi. Przy selektywnej suplementacji można wykorzystać to działanie między składnikami (np. w celu uzupełnienia żelaza podajemy naturalną witaminę C, która promuje żelazo z diety, i staramy się spożywać produkty bogate w ten pierwiastek). Żelazo jest bardzo niebezpiecznym suplementem, dlatego że pobudza stany zapalne. Suplement żelaza może brać osoba wolna od stanów zapalnych, a takich ludzi chyba nie ma. Silne antagonistyczne działanie mają pierwiastki toksyczne i bardzo trudno jest uzupełnić antagonistę pierwiastka toksycznego, jeśli jego poziom jest wysoki.

W związku ze stale zwiększającymi się problemami trawiennymi powstała nowa i ciągle rosnąca grupa

**suplementów wspomagających tra-
wienie** – błonniki, enzymy wspomagające trawienie. Jest ich bardzo dużo,
mają też dużą rozpiętość jakościową,
a co za tym idzie – różną skuteczność
działania.

Nie zaliczam do tych suplementów
leków na zgagi, wzdęcia, zaparcia
i biegunki, gdyż są to produkty, które neutralizują tylko objawy błędów
żywieniowych, chorób przewodu pokarmowego lub złego stanu flory bakteryjnej. Są to leki, których powinno
się unikać, bo szkodzą podstawowym
mechanizmom trawiennym. Jeśli któ-
ryś z przykrych objawów bardzo nam
dokucza, to ulgę przyniosą naturalne
odpowiedniki lekarstw, może nie od
razu, ale za to bez skutków ubocznych.

Błonnik w postaci suplementu powinien być stosowany tylko bardzo
dobrej jakości – w celu odżywienia
dobrej flory bateryjnej. Natomiast
branie błonnika jako miotły jelitowej

jest wg mnie bezcelowe, bo uważam,
że bez problemów można go uzupełnić poprzez większe spożycie warzyw,
zwłaszcza gotowanych. Warto wykorzystać wodę z gotowania warzyw do
zup, sosów czy parzenia płatków na
śniadanie (parzenie nie uwalnia błonnika tego rodzaju lub robi to w bardzo
niewielkim stopniu).

Zastosowanie zasad prawidłowego
odżywiania się powinno z czasem
zlikwidować potrzebę używania ww.
suplementów. Inne naturalne suplementy wspomagające trawienie można
objawowo i czasowo przyjmować, ale
nie powinno się z nimi przesadzać.

Reasumując, uważam, że odżywianie
organizmu powinno łączyć ze sobą
różnorodną dietę i selektywną suplementację kontrolowaną przez APW
i dopiero połączenie tych dwóch działań może dać nam szansę na życie na
odpowiednim poziomie, aż do późnej
starości.

ZASTOSOWANIE ZASAD
PRAWIDŁOWEGO ODŻYWIANIA SIĘ POWINNO
Z CZASEM ZLIKWIDOWAĆ POTRZEBĘ
UŻYWANIA SUPLEMENTÓW.

Łączenie
produktów
żywnościowych

Jak komponować posiłki

Rzadko zastanawiamy się, jak ważne jest prawidłowe trawienie. Jak istotną rolę odgrywa w regeneracji tkanek, w dostarczaniu energii, w budowaniu odporności. To podstawa naszego zdrowia — przemiana pokarmu, który spożywamy, na wszystko, co niezbędne nam do życia.

Z OPISU FUNKCJONOWANIA UKŁADU TRAWIENNEGO JASNO WYNIKA, JAK RÓŻNYCH WARUNKÓW POTRZEBUJĄ SKŁADNIKI POKARMOWE Z GRUP WĘGLOWODANÓW I BIAŁEK.

Węglowodany trawione są w środowisku zasadowym. Ten proces zaczyna się już w jamie ustnej. Dalsze trawienie węglowodanów odbywa się dopiero w jelicie cienkim, gdzie są one rozkładane na cukry proste pod wpływem enzymów soku jelitowego i soku z trzustki. Jeśli węglowodany nie są właściwie przygotowane do trawienia, to w jelicie cienkim stają się pożywką dla bakterii, które powodują ich fermentację i powstawanie szkodliwych substancji.

Trawienie białek odbywa się w kwaśnym środowisku żołądka, przy udziale pepsyny i renniny (u niemowląt). Następnie białka trawione są w jelicie cienkim, gdzie działa na nie przede wszystkim sok trzustkowy. Efektem trawienia białek są aminokwasy bezcenne dla organizmu. Jeśli trawienie białek jest zakłócone, zamiast części aminokwasów mamy szkodliwe substancje.

Podział żywności na grupy węglowodanową i białkową pokazuje, które surowce mają w swoim składzie dużą przewagę węglowodanów lub białek. Wiedza o tym pozwala właściwie ustalać dobrze zbilansowany pokarm, gdyż do właściwego funkcjonowania potrzeba nam obu składników, a także tłuszczów, które na szczęście możemy łączyć z surowcami z każdej z pozostałych grup.

Żeby trawienie przebiegało bez zakłóceń, powinniśmy postarać się nie łączyć w jednym posiłku produktów z grupy „z przewagą węglowodanów" z produktami z grupy „z przewagą białek".

Powyższa zasada zdaje się logicznym wnioskiem, który wyciągamy, jeśli poznamy układ trawienny i jego funkcjonowanie. Jednak rodzą się pytania, jak choćby najprostsze: skoro białka i węglowodany potrzebują tak różnych środowisk do procesów rozkładu i przemian, to jak organizm radzi sobie z produktami, które w naturalnej formie zawierają np. skrobie i białka? Przecież całkiem sporo elementów naszego pożywienia ma mieszany skład. Przy tym nadal popularna jest teoria, że w każdym posiłku powinniśmy dostarczyć organizmowi wszystko: porcję białek, porcję węglowodanów, błonnik i tłuszcze.

Poniżej przedstawię moje zasady komponowania posiłków. Są to zasady, które ustaliłam sobie i bliskim po lekturze moich podręczników akademickich, po lekturze książek – z których część traktuje nie tylko o żywieniu, lecz w ogóle o postawie wobec życia i natury – po rozmowach z dietetykami i lekarzami. Bardzo istotne były też moje własne doświadczenia i obserwacje ludzi, którzy przychodzą do mnie po porady dietetyczne.

halthy plan by ann

Ewa
25 maja 2014 (Edit)

Odpowiedz

A ja dziękuję, że 12 lat temu trafiłam na informację o diecie rozdzielnej. Szukałam sposobu na odchudzanie i to był strzał w dziesiątkę. Z niczego nie rezygnowałam, tylko inaczej komponowałam posiłki. Efekty nadeszły szybko, także lepsze samopoczucie. A w połączeniu z treningami, które zaczęłam po utracie pierwszych 8 kg - było już rewelacyjnie. Zrzuciłam 38 kg w 1,5 roku. Wtedy nie rozważałam, czemu dieta niełączenia jest zdrowa. Ale teraz przy niej trwam, choć czytałam, że nie wszyscy uznają jej zasadność. ja potwierdzam sobą, że jest OK.

Nie łącz w jednym posiłku produktów z grupy „z przewagą węglowodanów" z produktami z grupy „z przewagą białek".

Organizm, któremu zaserwuję posiłek zgodny z tą zasadą, ma po prostu łatwiej. A ja mam miłą pewność, że dbam o „higienę" układu pokarmowego, a zwłaszcza jelita grubego, bo nie pozwalam, by niestrawione resztki zalegały w nim i przyczyniały się m.in. do rozwoju drożdżaków i budowy kamieni kałowych.

Jak widać z powyższego komentarza na moim blogu – dieta niełączenia białek i węglowodanów ma dodatkowe zalety. Pozwala zmniejszyć i unormować masę ciała. To oczywiste, bo spokojne trawienie każdego z elementów pożywienia to po prostu lepsza przemiana materii i mniej odkładanego tłuszczu.

Węglowodany, które są trawione samotnie, w całości ulegają przemianie w energię i nie przyczyniają się do rozwoju grzybów i pasożytów, co z kolei owocuje ogólnym lepszym samopoczuciem.

Tak więc jeśli jesz rybę, to z warzywami, a nie z frytkami. Jeśli jesz mięso, to tylko z warzywami, a nie z chlebem lub kaszą; jeśli jajko, to bez pieczywa, ale z warzywami; jeśli omlet, to bez dodatku mąki, a kurczaka zjedz z sałatką lub zupą z samych warzyw. Porcję ryżu zjedz z warzywami, a kanapkę – z ogórkiem lub pastą warzywną zamiast wędliny.

PRODUKTY, KTÓRE MAJĄ MIESZANY SKŁAD (NP. STRĄCZKOWE ZAWIERAJĄ SKROBIĘ I BIAŁKA), **DŁUGO PRZEŻUWAJ, ZANIM POŁKNIESZ.**

95

Niektórzy mają kłopot z ich trawieniem, co powoduje wzdęcia i gazy. Inni trawią je dobrze – organizm ludzki jest lepiej przystosowany do trawienia gotowych połączeń niż takich, które powstają dopiero na talerzu.

Białka zawsze łącz z warzywami z grupy neutralnej, najlepiej w proporcji: **20% białka**, **80% warzyw**.

Warzywa wspomagają trawienie białek, m.in. przez dostarczenie błonnika.

WĘGLOWODANY ŁĄCZ Z WARZYWAMI Z GRUPY NEUTRALNEJ.

Do białek nie dodawaj zbyt dużo tłuszczu.

Przykładowo: lepsza jest ryba pieczona lub gotowana na parze niż smażona, a do sałatki z kurczakiem zamiast majonezu użyj lekkiego dressingu z oliwą z oliwek.

TŁUSZCZE
(świeżo tłoczone oleje: lniany, z ogórecznika, z pestek winogron, z wiesiołka, z kokosa, oliwa z oliwek z pierwszego tłoczenia, masło, masło klarowane) można łączyć z węglowodanami, białkiem (ostrożnie) i warzywami z grupy neutralnej.

Słodkie owoce zawsze jedz osobno.

Kwaśne owoce
(agrest, ananas, cytryna, grejpfrut, kwaśne gruszki i jabłka, kiwi, limonka, pomarańcza, pomidor, porzeczka, truskawka, kwaśne winogrona, wiśnie, żurawina) można łączyć z pestkami i orzechami, a także z fermentowanym nabiałem (jogurt naturalny, najlepiej domowy, kefir, maślanka).

PRZEJŚCIE NA DIETĘ ROZDZIELNĄ NIE POWINNO BYĆ BOLESNE. JEMY TO, CO DO TEJ PORY, JADŁOSPIS MAMY UROZMAICONY, TYLKO INACZEJ KOMPONUJEMY POSIŁKI.

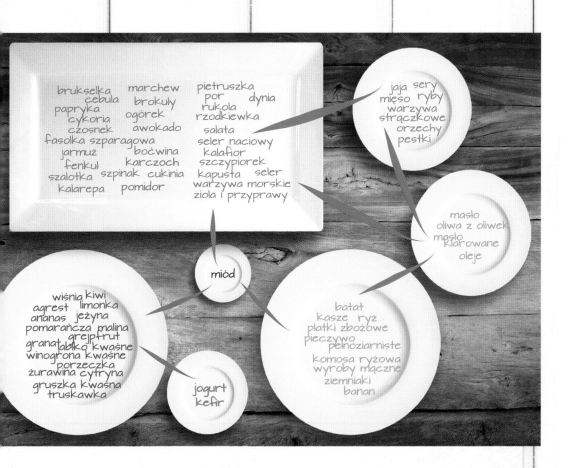

Cały schemat zdrowych połączeń znajduje się na rysunku.

**Brak zielonej kreski między grupami pokarmów oznacza,
że lepiej nie podawać ich razem w jednym posiłku.**

Niestety, tradycyjna kuchnia polska opiera się na niezdrowych połączeniach,
które prowadzą do pozostawiania niestrawionych resztek w przewodzie
pokarmowym (chętnie się nimi zajmą grzyby i pasożyty), a w konsekwencji
– do poważnych, przewlekłych schorzeń.

Przypomnę ważną zasadę, bez której nasze rozdzielanie nie poskutkuje:

GRYŹ DOKŁADNIE, DŁUGO PRZEŻUWAJ, JEDZ POWOLI.

Zwłaszcza jeśli trafisz na posiłek, gdzie nie da się rozdzielić białek i węglowodanów, np. mama zrobi pierogi z mięsem lub gołąbki z mięsem i ryżem.

Spotkałam osoby twierdzące, że doskonale trawią także te złe połączenia. Nie mają wzdęć, gazów, bólów i pozostają szczupłe. To możliwe, ale nie dałabym głowy za zdrowie np. jelita grubego u tych osób. Poza tym mnie do diety rozdzielnej przekonuje jeszcze jedna sprawa – **taka dieta polepsza samopoczucie!** To opinia wszystkich ludzi, którzy jej przestrzegają. Także tych, którzy nie skarżyli się wcześniej na żadne dolegliwości. Na diecie rozdzielnej mają więcej energii, a co za tym idzie – łatwiej im się trenuje i żyje.

DO DIETY ROZDZIELNEJ MOŻNA SIĘ NAPRAWDĘ ŁATWO PRZYZWYCZAIĆ, A JAK SIĘ ZOBACZY I POCZUJE JEJ EFEKTY – MOŻNA JĄ POKOCHAĆ.

Nie trzeba całkowicie rezygnować
z produktów o wysokim IG.
Odpowiednio skomponowany posiłek
zawierający produkty o wysokim i niskim IG
w efekcie będzie miał niewysoki IG.

INDEKS GLIKEMICZNY

Pojęcie indeksu glikemicznego wprowadzono w 1981 roku. Umożliwiło ono podział produktów w zależności od powodowanych przez nie zmian w glikemii poposiłkowej. Wcześniej dominował pogląd, że cukry złożone, które trawione są dłużej, powodują mniejszy wzrost stężenia glukozy we krwi, a niebezpieczne dla zdrowia są cukry proste. Badania dowiodły jednak, że nie tylko wielkość cząsteczek decyduje o wpływie na glikemię.

INDEKS GLIKEMICZNY (IG) OKREŚLA PROCENTOWO SZYBKOŚĆ WZROSTU STĘŻENIA GLUKOZY WE KRWI PO SPOŻYCIU PRODUKTU, W PORÓWNANIU ZE WZROSTEM TEGO STĘŻENIA PO SPOŻYCIU TAKIEJ SAMEJ ILOŚCI WĘGLOWODANÓW W POSTACI CZYSTEJ GLUKOZY. PRZYJĘTO, ŻE IG GLUKOZY MA WARTOŚĆ 100. NISKI IG TO WARTOŚCI PONIŻEJ 55, ŚREDNI – MIĘDZY 55 A 70, WYSOKI – POWYŻEJ 70.

Wartość IG pokazuje, jaki wpływ na glikemię ma konkretna dawka czystych węglowodanów w produkcie. Tymczasem w porcji pokarmu ilość cukrów bywa różna. Przykładowo: arbuz ma wysoki IG, a w standardowej porcji ma niewiele węglowodanów, bo zawiera głównie wodę.

Dlatego wprowadzono pojęcie **ładunku glikemicznego (ŁG)**, którego wartość oblicza się, biorąc pod uwagę nie tylko ilość węglowodanów w produkcie, lecz także wielkość standardowej porcji pokarmowej tego produktu. Niski ŁG to wartości poniżej 10, średni – między 10 a 20, wysoki – powyżej 20.

DLACZEGO MAMY SOBIE ZAWRACAĆ GŁOWĘ IG I ŁG?

Po spożyciu pokarmu o wysokim IG i ŁG stężenie cukru we krwi może się nawet podwoić. Efektem tego jest gwałtowne wydzielanie insuliny, której ilość znacznie przewyższa stężenie **glukagonu** – hormonu działającego regulacyjnie w przypadku niskiej glikemii. Przepełniają się wtedy naturalne magazyny glukozy, rośnie tkanka tłuszczowa. Taki wyrzut insuliny powoduje, że znacznie obniża się stężenie cukru, co objawia się uczuciem głodu, gdyż mózg jest organem bardzo wrażliwym na glukozę – to jego paliwo energetyczne. Wysokie stężenie insuliny ogranicza wykorzystanie innego źródła energii dla organizmu – wolnych kwasów tłuszczowych. Silne uczucie głodu wywołuje chęć spożycia wysokokalorycznego posiłku – i tak powstaje karuzela niemożności utrzymania prawidłowej masy ciała, nie mówiąc już o innych szkodliwych skutkach tych procesów.

Dlatego szczególnie polecam zwracanie uwagi na IG i ŁG produktów osobom z naturalnymi skłonnościami do tycia. Tak naprawdę jednak wszyscy powinniśmy mieć na ten temat podstawową wiedzę i stosować ją w praktyce.

Na wielkość IG ma wpływ wiele czynników. Wiadomo, że jego wartość jest zwiększana za pomocą obróbki cieplnej produktów. Podczas gotowania woda i wysoka temperatura powodują pęcznienie granulek skrobi i uzyskanie przez nie postaci żelowej, która jest łatwo trawiona w jelicie cienkim i powoduje wzrost stężenia glukozy we krwi. Im większy stopień rozgotowania, tym większy IG. Dlatego np. makaron zdrowszy jest w postaci al dente. Wszystkie procesy rafinowania żywności powodują duży wzrost IG.

Obecność tłuszczu w posiłku spowalnia opróżnianie żołądka i trawienie w jelicie cienkim, obniża więc IG posiłku. Tłuszcz powinien być oczywiście zdrowy i nie możemy przesadzić z jego ilością.

Badacze (m.in. Mendes) wykazali, że banany niedojrzałe mają niższy IG niż dojrzałe. Wykazano też, że ziemniaki spożywane zaraz po ugotowaniu (temp. ok. 83°C) powodują wyższą glikemię niż ziemniaki jedzone po ostygnięciu (temp. 23°C).

WAŻNE: JEDNYM Z NAJWAŻNIEJSZYCH CZYNNIKÓW OBNIŻAJĄCYCH GLIKEMIĘ POPOSIŁKOWĄ JEST ZAWARTOŚĆ BŁONNIKA W POKARMIE

Tabeli z wartościami IG, podobnie jak z wartościami kalorycznymi produktów, jest sporo i czasem znacznie się od siebie różnią. Sądzę, że należy traktować je raczej jak wskazówki dotyczące kierunku na drodze wyborów żywieniowych. Obliczanie wartości procentowej IG lub kalorycznej w każdym posiłku prowadzi do frustracji i jest mało efektywne (patrz: Bridget Jones ☺).

Poniżej zamieszczam tabele, które wydały mi się najbardziej rzetelne, a zawierają wartości IG i ŁG. Znalazłam je w Superlinii.

PRODUKTY ZBOŻOWE	Ilość (g)	Miara domowa	Węglowodany w danej porcji (g)	IG	ŁG
kasza jęczmienna gotowana	157	szklanka	44,3	70	31
kasza jaglana gotowana	174	szklanka	41,2	71	29
kasza kuskus po przyrządzeniu	157	szklanka	36,6	65	24
kasza gryczana gotowana	168	szklanka	33,5	54	18
makaron ryżowy	60	porcja	50,9	58	30
makaron al dente	160	porcja	35,4	45	16
musli (niesłodzone)	45	3 łyżki	27,4	50	14
płatki kukurydziane	30	szklanka	24,9	84	21
płatki owsiane	30	3 płaskie łyżki	20,8	40	8
ryż biały gotowany	150	szklanka	36	64	23
ryż biały gotowany i zapiekany	150	szklanka	30	104	31
ryż brązowy	150	szklanka	33	55	18
ryż długoziarnisty gotowany	150	szklanka	41	56	23
ryż dmuchany	30	porcja	26	87	23
ryż parboiled	150	szklanka	36	47	17
proso gotowane	150	szklanka	36	71	26
wafle ryżowe	25	2 sztuki	16	64	10
chrupki kukurydziane	50	porcja	26	63	16

PIECZYWO	Ilość (g)	Miara domowa	Węglowodany w danej porcji (g)	IG	ŁG
bagietka	140	sztuka	73,9	72	53
bajgiel	70	sztuka	35	72	25
bułka z mąki oczyszczonej	80	sztuka	46,2	70	32
chleb ryżowy	30	kromka	12	70	8
chleb gryczany	30	kromka	21	47	10
chleb pszenny	25	kromka	13,6	70	10
chleb pszenny (80 proc. grubo zmielonych ziaren pszenicy)	30	kromka	20	52	10
chleb owsiany otrębowy	30	kromka	18	47	8
chleb pita	65	sztuka	38	57	22
chleb żytni razowy	35	kromka	17,9	57	10

TŁUSZCZE I INNE	Ilość (g)	Miara domowa	Węglowodany w danej porcji (g)	IG	ŁG
margaryna do pieczenia	50	⅕ kostki	0,2	0	0
olej rzepakowy	10	łyżka	0	0	0
oliwa z oliwek	10	łyżka	0	0	0
smalec	15	łyżka	0	0	0
pizza serowa	100	porcja	27	60	16
sushi (maki)	70	sztuka	25,5	55	14
tortilla z fasolą i sosem pomidorowym	160	porcja	28,8	28	8

MLEKO I PRODUKTY MLECZNE	Ilość (g)	Miara domowa	Węglowodany w danej porcji (g)	IG	ŁG
jogurt naturalny	250	szklanka	10,8	36	4
jogurt sojowy z owocami	200	opakowanie	26	50	13
mleko zsiadłe	250	szklanka	13	32	4
mleczko kokosowe	230	szklanka	18,6	40	7
mleko sojowe	220	szklanka	9,5	44	4
mleko odtłuszczone	250	szklanka	13	32	4
mleko 3,2%	250	szklanka	12	27	3
mleko skondensowane słodzone	50	porcja	27	31	16
ser camembert	120	sztuka (krążek)	0,20	0	0
twaróg odtłuszczony	100	0,5 kostki	3,5	30	1
ser żółty	15	plaster	0	0	0
śmietana 30%	240	szklanka	7,7	0	0

RYBY I OWOCE MORZA	Ilość (g)	Miara domowa	Węglowodany w danej porcji (g)	IG	ŁG
łosoś w dzwonku	100	porcja	0	0	0
paluszki rybne	100	porcja	19	38	7
małże w sosie własnym	70	porcja	1.2	0	0
płat śledzia	100	porcja	0	0	0
szprotki wędzone	12	sztuka	0	0	0
tuńczyk w oleju	120	porcja	0	0	0

OWOCE	Ilość (g)	Miara domowa	Węglowodany w danej porcji (g)	IG	ŁG
agrest	50	garść	5,9	25	1
ananas	80	plaster	10,9	45	5
sok ananasowy (niesłodzony)	250	szklanka	28,5	50	14
arbuz	350	plaster	29,4	75	22
awokado bez skórki	140	sztuka	10,4	10	1
niedojrzały średni banan	120	sztuka	34	40	14
dojrzały średni banan	120	sztuka	28,2	55	16
grejpfrut czerwony	260	sztuka	27,8	30	8
grejpfrut zielony	200	sztuka	19,6	30	6
gruszka	150	sztuka	21,6	30	6
jabłko średnie	180	sztuka	24,8	35	9
sok jabłkowy	250	szklanka	25	50	13
liczi z puszki	8	sztuka	16	79	13
maliny	120	szklanka	14,4	25	4
mango	280	sztuka	47,6	50	24
melon żółty	720	sztuka	64,8	60	39
morele świeże	100	2 sztuki	7	30	2
morele suszone	60	2 małe garście	28	40	11
papaja	200	sztuka	14	58	8
pomarańcza	240	sztuka	27,1	35	9
sok pomarańczowy (niesłodzony)	250	szklanka	24,8	45	11
porzeczki czerwone	120	szklanka	16,6	25	4
truskawki	70	garść	5	25	1

MIĘSO I PRODUKTY MIĘSNE	Ilość (g)	Miara domowa	Węglowodany w danej porcji (g)	IG	ŁG
golonka	370	sztuka	0	0	0
karkówka	100	porcja	0	0	0
pierś kurczaka, bez skóry	100	porcja	0	0	0
nugetsy kurczakowe	100	porcja	16	46	7
polędwica sopocka	12	plaster	0,1	0	0
wątróbka drobiowa	100	porcja	0,6	0	0

CUKIER I SŁODYCZE	Ilość (g)	Miara domowa	Węglowodany w danej porcji (g)	IG	ŁG
cukier	10	2 łyżeczki	70	70	
brązowy cukier	10	2 łyżeczki	10	70	7
czekolada gorzka (99%)	30	5 kostek	3	20	1
czekolada mleczna	6	kostka	3,4	49	2
glukoza	10	2 łyżeczki	10	100	10
herbatniki z otrębami	5	sztuka	3,6	54	2
miód	12	łyżeczka	9,5	60	6
pączek	70	sztuka	43,5	69	30
muffiny jabłkowe	60	sztuka	29	44	13
naleśniki	75	sztuka	40	85	34
nutella	20	łyżka	12	33	4

CZARNA LISTA

DBAJĄC O ZDROWIE, RZECZYWIŚCIE TRZEBA UNIKAĆ PEWNYCH PRODUKTÓW, ALE MOŻNA WZBOGACIĆ JADŁOSPIS ZNACZNIE CIEKAWSZYMI KOMPOZYCJAMI SMAKÓW, KOLORÓW I AROMATÓW.

Wiele osób przyzwyczaiło się do gotowych potraw, w których dominuje smak glutaminianu sodu. Ten specyficzny składnik dla niektórych to wręcz warunek uznania posiłku za „dobry". Te osoby nie zdają sobie sprawy, że jeśli jedzą produkty z glutaminianem sodu lub konserwowane dużą ilością soli, właściwie już nie znają prawdziwego smaku wielu naturalnych składników pożywienia. Podobnie jest z produktami słodzonymi. Tego typu produkty uzależniają, jak zresztą niemal wszystko, co szkodliwe.

Czego zatem unikać?

Na początek słówko o produktach przetworzonych.

Ludzki organizm, w całym swoim skomplikowaniu, przystosował się do funkcjonowania w naturze. Wszystkie organy, systemy i układy zbudowane są w taki sposób, by efektywnie trwać w naturalnym środowisku, czerpiąc z niego pożywienie i energię i przetwarzając je zgodnie ze swoimi potrzebami.

Ostatnie 100 lat, które w skali ewolucji ludzkiego organizmu nie znaczą nic, przyniosło nam rewolucję naukową i technologiczną, która zaowocowała m.in. zmianą podejścia do wytwarzania żywności. Pod pretekstem chęci rozwiązywania problemów głodu na świecie żywność zaczęto produkować przemysłowo. Uprawy roślin czy hodowlę zwierząt trudno już właściwie nazwać rolnictwem w tradycyjnym znaczeniu. Według mnie to już rodzaj przemysłu, w którym istotniejszą funkcję niż natura pełnią maszyny, chemia i modyfikacje genetyczne. Efekty są spektakularne: zboża (zwłaszcza pszenica) nawet z wyglądu przestały

ZDROWA DIETA WIELU OSOBOM KOJARZY SIĘ Z OGROMNYMI WYRZECZENIAMI. NIESŁUSZNIE.

przypominać rośliny uprawiane przez pokolenie naszych pradziadków. Większość zwierząt hodowlanych nie bywa na świeżym powietrzu przez całe życie i nigdy nie widziała zwykłej trawy. Owoce i warzywa czasem wyglądają, jakby były robione pod wymiar. I tak jest, bo często nie chodzi o ich walory odżywcze, ale np. łatwy transport i możliwość długiego przechowywania, zanim zostaną sprzedane. Takie surowce trafiają do fabryk, w których są przetwarzane na produkty, które potem znajdujemy w sklepie.

Rafinowanie cukru, homogenizacja mleka, modyfikacja genetyczna zbóż i używanie tylko oczyszczonych ziaren w procesie przemiału na mąkę, karmienie zwierząt produktami z chemicznych laboratoriów, nawożenie upraw szkodliwymi substancjami, dodawanie do produktów barwników, konserwantów i poprawiaczy smaku – to tylko niektóre z działań powodujących, że nasz organizm nie jest w stanie strawić takich produktów bez szkód dla siebie. **My po prostu nie jesteśmy przystosowani do wewnętrznego przerobu pożywienia w takich formach.** Stąd bierze się większość chorób, na które zapadają ludzie w krajach zwanych cywilizowanymi. Oczywiście, wiem, że mamy ogromne osiągnięcia w zwalczaniu chorób, które kiedyś kładły pokotem całe narody. Doceniam osiągnięcia naukowców, które pozwalają nam żyć dłużej, szanuję możliwości współczesnej medycyny. Uważam jednak, że technologie produkcji żywności poszły w złym kierunku. I to one właśnie każą nam być pacjentami i z tej wspaniałej medycyny korzystać.

Przemawia do mnie pogląd, że naturalne surowce żywnościowe mają swego rodzaju pamięć ziemi, słońca i powietrza, w których wzrosły, i tę pamięć do niedawna nam przekazywały, dzięki czemu żyliśmy jako normalna część wielkiej natury. Teraz tej pamięci sami się pozbawiamy.

WNIOSEK JEST PROSTY: **UNIKAJMY WYSOKO PRZETWORZONEJ ŻYWNOŚCI.** W PRZECIĘTNYM SAMOOBSŁUGOWYM SKLEPIE SPOŻYWCZYM POZOSTANIE NAM NIEWIELE PÓŁEK, Z KTÓRYCH MOŻEMY COŚ WYBRAĆ, ALE WARTO TRWAĆ W TAKIM POSTANOWIENIU. BĘDZIEMY ZDROWSI.

Czym zastąpić szkodliwe produkty?

▸ **Słodycze ze sklepu** (batony, czekolady, ciastka, cukierki itd.) zamieniamy na ciasta robione w domu, na potrawy słodzone miodem, stewią lub ksylitolem. Jedzmy owoce, np. te leśne.

▸ **Półprodukty i dania gotowe** zastępujemy potrawami robionymi w domu – ze świeżych warzyw, zdrowego drobiu i ryb.

▸ **Sól**, która zaburza gospodarkę wodną organizmu i prowadzi do nadciśnienia, zastępujemy aromatycznymi ziołami, a jest ich mnóstwo: tymianek, lubczyk, estragon, oregano, papryka, pieprz, majeranek, rozmaryn i inne. Popróbujcie, naprawdę da się żyć bez soli lub używać jej w minimalnym stopniu. Nadmiar soli zawsze szkodzi, a tej oczyszczonej każda ilość.

▸ **Mleko i produkty mleczne ze sklepu** możemy zastąpić mlekiem kupowanym od rolnika, z którego to mleka robimy domowy jogurt, lub napojami roślinnymi (mleko kokosowe, owsiane, ryżowe, migdałowe). Od krowiego zdrowsze jest mleko kozie.

▸ **Wędliny** zastępujemy potrawami z warzyw (pasztety, pasty), a mięso z marketu – mięsem od sprawdzonego producenta lub rybami. Doskonałym źródłem białka są też warzywa strączkowe, nasiona i orzechy.

▸ **Pszenicę**, która po wielu modyfikacjach jest dla wielu osób niestrawna lub wywołuje apatię, możemy zastąpić innymi zbożami. Ja w ogóle staram się wykluczyć z diety gluten i używam mąki ryżowej, gryczanej, z amarantusa, jaglanej, z cieciorki lub kukurydzianej. Podobne zamienniki dotyczą płatków.

▸ **Makarony pszenne** i **biały ryż** doskonale zastąpimy kaszami lub komosą ryżową.

▸ **Cukier wanilinowy** zastępujemy domowym cukrem waniliowym.

▸ **Margaryny do smażenia** zamieniamy na masło klarowane lub oliwę z oliwek.

▸ **Lody ze sklepu** zamieniamy na domowe sorbety.

▸ **Chipsy i inne wytrawne przekąski** zamieniamy na przekąski z warzyw i orzechów.

DETOKS

Tak zwany detoks to nie wymysł naszych czasów, choć obecnie jest wyjątkowo potrzebny. Coroczny post zalecają wszystkie wielkie religie świata, cenili go już starożytni. Ludzki organizm rzadko funkcjonuje w stanie pełnej równowagi.

Nadmiar jedzenia lub braki potrzebnych składników w pożywieniu powodują zachwiania procesów metabolicznych, co skutkuje m.in. odkładaniem się substancji, które powinny być wydalone. Toksyny przyjmujemy w pożywieniu, łapiemy je z zanieczyszczonego powietrza, wchłaniamy razem z wodą. I produkujemy w naturalnych procesach życiowych.

JAK SIĘ POZBYĆ TOKSYN?

Po pierwsze, należy dbać, by w codziennej diecie były produkty wspomagające oczyszczanie. Należą do nich m.in.: **czosnek, jabłka, cytryna, buraki, zielona herbata, kurkuma, pieprz cayenne**. Po drugie, warto raz lub dwa razy w roku zrobić sobie kurację oczyszczającą.

Coraz więcej zwolenników zyskują głodówki oczyszczające, ale ja nie będę do nich namawiać, są bowiem bardzo radykalnym sposobem odtrucia organizmu. Jeśli decydujemy się na tę formę postu, musimy być bardzo ostrożni, stopniowo przygotować organizm do głodówki (im dłuższa głodówka, tym dłuższe przygotowanie) i powoli wrócić do normalnej diety. Najlepiej skonsultować się wcześniej z lekarzem. Zachęcam jednak do pogłębiania wiedzy na ten temat, bo znam osoby, które głodówką pokonały meczące dolegliwości.

CORAZ WIĘKSZĄ POPULARNOŚĆ ZYSKUJE DETOKS ZA POMOCĄ SOKÓW. WYMAGA PRZYGOTOWANIA ORGANIZMU PODOBNIE JAK GŁODÓWKA. SAMA KURACJA TO KILKA DNI PICIA SOKÓW WARZYWNO-OWOCOWYCH.

Wiosną i jesienią, w czasie, gdy mogę sobie pozwolić na pewne ograniczenie obowiązków, robię sobie tydzień detoksu opartego na zupach kremach z warzyw oraz zielonych koktajlach.

Wszystkie formy kuracji oczyszczających wymagają odpowiedniego przygotowania psychicznego. Nie warto przystępować do detoksu, jeśli czuje się przed nim lęk, bo stres zniweczy pozytywne efekty kuracji. Taki tydzień oczyszczania powinien być w miarę możliwości spokojny, zamiast treningów warto robić relaks, kąpiele w wywarze ze skrzypu lub w płatkach owsianych. Osoby dobrze tolerujące saunę mogą w tym czasie z niej skorzystać. Uzupełnieniem detoksu są lewatywy. W trakcie kuracji może pojawić się katar, śluz i różne mało przyjemne objawy oczyszczania – będzie to znak, że kuracja działa. Detoks warto zakończyć oczyszczaniem jelit w profesjonalnym gabinecie, należy jednak pamiętać o późniejszym zadbaniu o ich florę bakteryjną za pomocą probiotyków.

NIE WARTO PRZYSTĘPOWAĆ DO DETOKSU, JEŚLI CZUJE SIĘ PRZED NIM LĘK, BO STRES ZNIWECZY POZYTYWNE EFEKTY KURACJI.

Przepisy

PRZEDSTAWIAM WAM PRZYKŁADOWE CAŁODZIENNE MENU NA KAŻDY MIESIĄC. STARAŁAM SIĘ SKOMPONOWAĆ JE ZGODNIE Z PODANYMI WYŻEJ ZASADAMI, Z WYKORZYSTANIEM SEZONOWYCH PRODUKTÓW, Z DBAŁOŚCIĄ O RÓŻNORODNOŚĆ. PAMIĘTAŁAM TAKŻE O KONIECZNOŚCI DOSTARCZANIA WSZYSTKICH NIEZBĘDNYCH SKŁADNIKÓW. TO PRZYKŁADY – NIE WSZYSTKIM MUSZĄ SIĘ SPODOBAĆ. CHCIAŁAM JEDNAK WSKAZAĆ OGÓLNY KIERUNEK TWORZENIA JADŁOSPISU.

Nie ma tu wartości kalorycznych, nie ma też wyliczeń dotyczących wielkości porcji. Jadłospis jest bogaty, można z niego korzystać w całości albo wybrać tylko niektóre potrawy. Każde menu zawiera 5 posiłków, dla wielu osób zapewne będzie to za dużo. Nie ma jednej recepty dla wszystkich, która uwzględniałaby pory posiłków, ich liczbę, objętość i kaloryczność.

Wybierajcie, eksperymentujcie, bawcie się w kuchni, szukając smaków i aromatów.

SMACZNEGO!

Tarta
ze szpinakiem i makaronem

SKŁADNIKI:

CIASTO

1¹/2 szklanki mąki jaglanej
1¹/2 szklanki mąki kukurydzianej
¹/3 szklanki oleju kokosowego
szklanka wody
szczypta soli

FARSZ

szklanka makaronu ryżowego
¹/2 szklanki mleka migdałowego
opakowanie mrożonego szpinaku
4 ząbki czosnku
mała cukinia
olej kokosowy
¹/2 łyżeczki soku z cytryny
sól
świeżo mielony pieprz

W misce wymieszałam mąkę jaglaną i kukurydzianą, dodałam olej i sól, potem powoli wlewałam wodę, ciągle mieszając, aż ciasto się wyrobiło. Odstawiłam je do lodówki. Makaron ugotowałam al dente. Na głębokiej patelni rozgrzałam łyżkę oleju, wrzuciłam szpinak i drobno posiekany czosnek, skropiłam je sokiem z cytryny i wszystko wymieszałam, cały czas podgrzewając. Zmiksowałam mleko z olejem, dorzuciłam makaron i dalej chwilę miksowałam. Dodałam szpinak i przyprawiłam solą i pieprzem.

Do formy na tartę wyłożyłam ciasto, zawijając brzegi. Ponakłuwałam ciasto widelcem i wstawiłam do piekarnika nagrzanego do 180°C. Podpiekałam przez 8 minut. Następnie wyjęłam formę z piekarnika, na cieście rozprowadziłam farsz, a na nim ułożyłam plastry cukinii. Piekłam przez kolejne 25 minut.

MENU
STYCZEŃ

Szklanka wywaru z imbiru z cytryną i szczyptą kurkumy

HERBATA IMBIROWA
(korzeń imbiru pokrojony i podgrzewany
w rondelku z wodą 15 minut na małym ogniu)

KOKTAJL: 3 liście jarmużu, 2 buraki, jabłko

ŚNIA-DANIE

Owsianka Szklanka płatków owsianych (zalanych poprzedniego
wieczoru wodą) podgrzanych z łyżką miodu, małym startym jabłkiem (dla smaku)
i cynamonem (pół łyżeczki). Można dodać łyżeczkę siemienia lnianego.

SKŁADNIKI:

szklanka pęczaku
nieduży kabaczek
papryka czerwona
papryka zielona
por
2 ząbki czosnku
1/2 pęczka koperku
garść liści natki pietruszki

SOS:

filiżanka oleju lnianego
łyżka miodu
łyżka octu balsamicznego
pieprz, mielona
papryka, tymianek

119

Sałatka z pęczakiem

Pęczak po dokładnym opłukaniu ugotowałam w 3 szklankach lekko osolonej wody. Kabaczek obrałam, wydrążyłam i pokroiłam w kostkę. Papryki umyłam i pozbawiłam gniazd nasiennych. Kiedy kasza się gotowała, piekłam kabaczek i papryki w 180°C przez 25 minut (można to zrobić poprzedniego dnia wieczorem). Por (białą część) po umyciu pokroiłam w półtalarki. Umyte koperek i natkę posiekałam. W misce wymieszałam przestudzony pęczak z kabaczkiem i papryką drobno pokrojoną. Dodałam por, zieleninę i posiekany czosnek. Do małego słoiczka wlałam olej, miód i ocet, wsypałam przyprawy, zakręciłam i mocno potrząsnęłam. Gotowym sosem zalałam sałatkę.

Kurczak
pieczony na soli

SKŁADNIKI:

kurczak
1 kg grubej soli
3 ząbki czosnku
świeży rozmaryn
cytryna
świeży estragon
kolorowy pieprz
olej z pestek winogron
lub inny (zdrowy!)

Kurczaka bardzo dokładnie umyłam na zewnątrz i w środku, osuszyłam. Natarłam w środku olejem z pieprzem, włożyłam tam 3 plastry cytryny, obrane ząbki czosnku, gałązki rozmarynu i estragonu. Związałam nóżki. Z zewnątrz natarłam kurczaka w ten sam sposób (starałam się wetrzeć pieprz w skórę). Nadmiar oleju odsączyłam papierowym ręcznikiem.

Nagrzałam piekarnik do 200˚C. Do żaroodpornej formy wysypałam cały kilogram soli. Jednym mocnym ruchem położyłam na niej osuszonego kurczaka, kuperkiem do góry. Piekłam 40 minut, a następnie przewróciłam (uważałam, by sól nie przywarła) i piekłam kolejne 40 minut, aż skórka była zrumieniona, a mięso – miękkie. Wyłożyłam kurczaka na półmisek, pokroiłam.

120

Rozgrzewający krem z marchwi

SKŁADNIKI:
6 marchewek
korzeń pietruszki
kawałek selera
por
2 cebule
łyżka anyżu
łyżeczka świeżo zmielonej gałki muszkatołowej
kilka ziaren ziela angielskiego
liść laurowy
masło klarowane
natka pietruszki

W garnku zagotowałam wodę z zielem angielskim i liściem laurowym. Oskrobałam i umyłam seler i pietruszkę. Umyłam por i pokroiłam. Cebulę obrałam i pokroiłam w talarki. Marchewki oskrobałam, umyłam i pokroiłam w talarki. Na patelni rozgrzałam masło klarowane i wrzuciłam cebulę i por. Kiedy się lekko zeszkliły, dorzuciłam talarki marchewki, anyż, imbir oraz gałkę muszkatołową i wszystko dusiłam 4 minuty. Do gotującej się wody z przyprawami wrzuciłam seler i pietruszkę, a następnie zawartość patelni. Wody nie może być dużo, ma jedynie przykrywać warzywa. Gotowałam na niedużym ogniu pod przykryciem, aż warzywa zmiękły. Zmiksowałam wszystko na krem, dodałam natkę pietruszki.

Surówka z selera

SKŁADNIKI:
seler
2 garści orzechów włoskich
jogurt grecki
musztarda
3 łyżki oliwy z oliwek
sól morska
koperek

Seler obrałam, umyłam i starłam na tarce o dużych oczkach. Orzechy lekko pokruszyłam i wymieszałam z selerem. Z oliwy, dwóch łyżek jogurtu i łyżeczki musztardy zrobiłam sos. Wymieszałam wszystko z łyżką koperku.

Pieczone jabłka

W kilku jabłkach wydrążyłam środki. Nasypałam tam po dużej szczypcie cynamonu, potem włożyłam po pół łyżeczki konfitury z żurawin, dodałam po szczypcie kardamonu i parę kropli syropu klonowego (to nie jest niezbędne). Owoce ułożyłam na blaszce. Piekłam 20 minut w 150°C. Wersja dla osób, które nie mogą jeść owoców i warzyw ze skórką: obrane i obtoczone w cynamonie jabłka zawija się przed pieczeniem w folię aluminiową.

Nadziewany bakłażan

SKŁADNIKI:
duży bakłażan
garść zmielonych migdałów
2 garści natki pietruszki
garść suszonych moreli
słoiczek suszonych pomidorów
szklanka komosy ryżowej (quinoa)
sól, pieprz, majeranek, tymianek
sok z cytryny

122

B akłażan przekroiłam wzdłuż na pół i wycięłam środek. Połówki skropiłam sokiem z cytryny, posoliłam, popieprzyłam i odstawiłam na bok.

W garnuszku zmieszałam migdały, pietruszkę, dość drobno pokrojone pomidory, morele i zioła oraz wycięty miąższ, zalałam to niewielką ilością wody i poddusiłam na małym ogniu. W tym czasie w drugim garnku gotowała się komosa. Mieszankę z pomidorami zmiksowałam, potem dodałam ugotowaną komosę i wszystko dokładnie wymieszałam. Farsz przełożyłam do połówek bakłażana i wstawiłam do piekarnika. Piekłam 30 minut w 200°C.

Pół szklanki ciepłej wody z cytryną

ROZGRZEWAJĄCA HERBATA
Do naparu z zielonej herbaty dodałam
kilka suszonych kwiatów lawendy
i łyżeczkę miodu akacjowego.

KOKTAJL: 2 pieczone jabłka, odrobina
startego imbiru, szczypta cynamonu,
szklanka mleka roślinnego

ŚNIA-DANIE

SKŁADNIKI:
1/2 szklanki płatków żytnich
szklanka kaszy z amarantusa
1/2 szklanki mleka migdałowego
łyżka miodu
garść suszonej aronii
garść jagód goji
kardamon, cynamon, imbir

Płatki żytnie
z kaszą z amarantusa

Kaszę i płatki ugotowałam
w wodzie z dodatkiem
mleka migdałowego
i miodem oraz przyprawami i owocami.

SKŁADNIKI:

5 średnich marchewek

2¹/₂ szklanki mąki orkiszowej
(może być pszenna – im wyższy
typ mąki, tym lepsza)

4–5 jajek

²/₃ szklanki oleju roślinnego
nierafinowanego, np. masło kokosowe

¹/₂ szklanki rodzynek

łyżka cynamonu

łyżeczka kardamonu

łyżeczka sody oczyszczonej

łyżeczka gałki muszkatołowej

¹/₂ łyżeczki proszku do pieczenia

Ciasto marchewkowe

Rodzynki dokładnie umyłam i sparzyłam wrzątkiem. Marchew umyłam, oskrobałam i utarłam na bardzo drobnej tarce. Ubiłam jajka, stopniowo dodawałam mąkę, a następnie marchew, dodatki, na końcu olej. Wszystko wymieszałam. Musiałam wlać odrobinę wody, bo ciasto wydawało się za suche. Foremkę wysmarowałam klarowanym masłem i przelałam do niej ciasto. Piekłam godzinę w 180°C.

125

Gołąbki z kaszą gryczaną i pieczarkami

126

SKŁADNIKI:

duża główka kapusty (można użyć białej,
ja wolę włoską, bo lepiej się zawija)

2 szklanki kaszy gryczanej

400 g pieczarek (może nie zużyjesz wszystkich,
zależy, jak bardzo „pieczarkowy" chcesz farsz)

duża cebula

2 ząbki czosnku

masło klarowane do smażenia

majeranek, świeżo zmielony pieprz, koperek, natka, sól

1$\frac{1}{2}$ l bulionu warzywnego (najlepszy domowy, ale może być z kostek bio)

Kapustę umyłam i wycięłam z niej ostrożnie głąb. W dużym garnku zagotowałam wodę i włożyłam do niej kapustę. Gotowałam 3 minuty. Wyjęłam ją, zdjęłam wszystkie liście, które się dało zdjąć bez szarpania, i ponownie włożyłam do garnka z gotującą się wodą. Operację powtarzałam aż do całkowitego podziału kapusty na liście. Liście przycisnęłam, by stały się jak najbardziej płaskie. Ugotowałam kaszę w lekko osolonej wodzie i odstawiłam. Pieczarki obrałam, umyłam i drobno pokroiłam. Cebulę obrałam i pokroiłam w drobną kosteczkę. Czosnek posiekałam. Na rozgrzaną patelnię wrzuciłam łyżkę masła, cebulę, czosnek i pieczarki. Dusiłam kilka minut. Zmieszałam dokładnie z kaszą, dodałam majeranek, sporo pieprzu i posiekaną natkę. Spróbowałam i dosoliłam do smaku.

Z każdego liścia kapusty jak najdelikatniej ścięłam wypukłość żył. Na środek każdego liścia kładłam porcję farszu odpowiednią do jego wielkości. Następnie zawijałam każdy z 2 boków liścia do środka, żeby przykryć farsz. Zaczynając od dołu, zwijałam liść z farszem w rulon.

Garnek z grubym dnem wyłożyłam liśćmi kapusty i układałam na nich ciasno gołąbki. Zalałam warzywnym bulionem. Przykryłam liśćmi kapusty (gotowanymi) – można użyć tych uszkodzonych, które nie nadawały się na gołąbki. Dodałam łyżkę masła i dusiłam całość 40 minut na małym ogniu.

Krem z buraków z gruszką

SKŁADNIKI:
10 małych buraczków
3 nieduże marchewki
mały seler
korzeń pietruszki
gruszka
3 ząbki czosnku
łyżka soku z cytryny
majeranek, tymianek, kminek, kurkuma, imbir, pieprz, liść laurowy, sól morska

Marchewki, seler i pietruszkę obrałam i umyłam. Wrzuciłam na wrzątek, dodałam liść laurowy, kminek i tymianek oraz szczyptę soli morskiej. W osobnym garnku ugotowałam buraki w mundurkach (to długo trwa). Kiedy były niemal miękkie, wyjęłam je, pokroiłam i dodałam do wywaru z warzywami. Dorzuciłam pokrojoną gruszkę, pokrojony czosnek, pół łyżeczki majeranku, szczyptę kurkumy, szczyptę imbiru i pieprzu. Gotowałam kolejne 5 minut. Potem wszystko zmiksowałam na gładki krem i dodałam sok z cytryny.

Sałatka z awokado
z jarmużem i orzechami

Pomidory pokroiłam w plastry i rozłożyłam
na dnie półmiska, a na nich położyłam
mieszankę poszarpanej sałaty dębowej,
jarmużu i szpinaku (jeśli ktoś lubi, można
dodać algi). Na liściach ułożyłam cząstki
awokado pokrojonego wzdłuż. Sos zrobiłam
z oliwy i odrobiny octu balsamicznego.
Dorzuciłam skruszone orzechy włoskie.
Posypałam mieszanką pieprzu i bazylią.

SKŁADNIKI:

2 pomidory „bycze serca"
sałata dębowa
jarmuż
szpinak
awokado
oliwa z oliwek
ocet balsamiczny
3 orzechy włoskie
pieprz, bazylia

Ryba z warzywami, prawie po grecku

SKŁADNIKI:

1 kg filetów z dorsza lub innej białej ryby morskiej

5 marchewek

duży korzeń pietruszki

nieduży seler

2 cebule

słoiczek koncentratu pomidorowego

pęd trawy cytrynowej lub skórka z cytryny

liść laurowy

3 ziarenka ziela angielskiego

pieprz biały, pieprz czarny, kurkuma

ziarna sezamu

sok z cytryny

oliwa

masło klarowane

Rybę umyłam, pokroiłam na porcje, skropiłam sokiem z cytryny, posypałam odrobiną kurkumy i białym oraz czarnym pieprzem. Zanurzałam w oliwie i obtaczałam w sezamie, po czym wrzucałam na patelnię z rozgrzanym masłem klarowanym. Smażyłam 2 minuty z każdej strony.

Cebulę pokroiłam w drobną kostkę i zeszkliłam na tłuszczu po rybach.

Marchew, pietruszkę i seler umyłam, obrałam i starłam na tarce o dużych oczkach. Z pędu trawy cytrynowej usunęłam twarde liście, zostawiłam tylko białą część, którą pokroiłam na bardzo cieniutkie plasterki. Płaski garnek rozgrzałam, rozpuściłam w nim 2 łyżki oliwy i wrzuciłam wszystkie warzywa, cebulę i trawę. Dusiłam kilka minut, po czym podlałam wszystko niewielką ilością wody, dodałam liść laurowy, ziele angielskie, koncentrat pomidorowy i gotowałam wszystko, aż warzywa zrobiły się miękkie.

Na dno foremki włożyłam warstwę warzyw, na to warstwę ryb, znów warstwę warzyw, potem ryby i warzywa.

Można jeść na ciepło lub zimno.

KOKTAJL: 2 jabłka, 2 limonki lub cytryna, 2 szklanki liści szpinaku

Pół szklanki ciepłej
wody z cytryną

Rozgrzewający kompot

Umyłam, obrałam i pokroiłam 3 jabłka. Umyłam i pokroiłam kilka suszonych śliwek, kilka suszonych moreli, 3 suszone daktyle (mogą być figi), trochę rodzynek, parę jagód goji (niekoniecznie). Wrzuciłam owoce do gotującej się wody. Dodałam kawałek cynamonu i pół łyżeczki skórki otartej z cytryny, a także 3 cienkie talarki imbiru. Gotowałam kilka minut.

Omlet z marchewką

ŚNIA-
DANIE

SKŁADNIKI:
marchewka
3 jajka
szczypta soli (morskiej lub ziołowej)
szczypta czarnego mielonego pieprzu lub szczypta pieprzu cayenne
szczypta cynamonu, kardamonu oraz imbiru
masło klarowane

Marchewkę umyłam, obrałam i pokroiłam w cienkie talarki. Na patelni rozgrzałam masło klarowane i przesmażyłam marchewkę. Kiedy zmiękła, lekko rozgniotłam ją widelcem. W misce roztrzepałam jajka na jednolitą masę i wlałam ją na patelnię. Dodałam przyprawy, usmażyłam omlet.

Galaretka
z czerwonej soczewicy

134

SKŁADNIKI:

1¹/₂ szklanki czerwonej soczewicy

por

ząbek czosnku

liść laurowy

łyżeczka majeranku

czarny pieprz świeżo zmielony

sól morska

4 płatki agar-agar lub żelatyny

masło klarowane

oliwa z oliwek

Soczewicę moczyłam 2 godziny w zimnej wodzie. Agar-agar namoczyłam także w zimnej wodzie. Białą część pora pokroiłam w drobną kostkę i zeszkliłam na klarowanym maśle na patelni. W garnku zagotowałam wodę, wrzuciłam soczewicę i zawartość patelni oraz przyprawy. Wody dałam 2 razy więcej niż objętość soczewicy. Gotowałam wszystko do miękkości. Odsączyłam agar-agar i wymieszałam dobrze z soczewicą. Przełożyłam do foremki i odstawiłam na kilka godzin do lodówki. Podawałam galaretkę pokrojoną w grube plastry z kawałkami pomidora, posypałam pieprzem i koperkiem, skropiłam oliwą i octem balsamicznym.

OBIAD

Krem ze świeżych
i suszonych pomidorów

SKŁADNIKI:

ok. 700 g pomidorów

mała puszka lub słoiczek
pomidorów suszonych

2 marchewki (małe)

cebula

2 ząbki czosnku

garść natki pietruszki

garść bazylii

masło klarowane lub kokosowe

przyprawy: sól, pieprz cayenne,
tymianek, majeranek

DO POSYPANIA:

amarantus, sezam, nasiona chia
(zgodnie z upodobaniami),
po nałożeniu dodać olej lniany!

Świeże pomidory sparzyłam, obrałam ze skórki, pokroiłam na cząstki i wrzuciłam do garnka, w którym gotowała się szklanka wody. Pokrojone cebulę i czosnek poddusiłam na maśle, a gdy zmiękły, dodałam do pomidorów. Umyłam i pokroiłam marchewki oraz suszone pomidory, dołożyłam do zupy. Dodałam natkę, bazylię i całość gotowałam 4–6 minut. Zmiksowałam. Zupa wyszła za gęsta, więc dolałam wody, zamieszałam i znów chwilę gotowałam na małym ogniu. Dosypałam majeranek, tymianek i pieprz. Podałam ze świeżymi listkami bazylii i natką.

Kasza gryczana z grzybami

SKŁADNIKI:

szklanka kaszy gryczanej,
najlepiej niepalonej

2 szklanki suszonych
grzybów (borowiki,
podgrzybki lub inne)

cebula

ząbek czosnku

sól morska, majeranek,
lubczyk, koperek,
natka pietruszki

masło klarowane

oliwa

łyżeczka sosu sojowego

Grzyby dokładnie umyłam i namoczyłam w niewielkiej ilości zimnej wody. Kaszę przepłukałam. W garnku zagotowałam 2 szklanki wody z sosem sojowym i łyżką oliwy. Wsypałam kaszę i gotowałam, aż wchłonęła wodę. Potem garnek z kaszą owinęłam kocem i odstawiłam. Na rozgrzaną patelnię wrzuciłam masło i drobno posiekaną cebulę oraz czosnek. Zeszkliłam i dodałam pokrojone grzyby oraz 3 łyżki wody, w której się moczyły. Wymieszałam z kaszą, dodałam majeranek, lubczyk i łyżkę koperku. Podałam z natką pietruszki.

Torcik z awokado i buraków

SKŁADNIKI:

CZĘŚĆ ZIELONA:

awokado

łyżka kakao

łyżka miodu

sok z połowy cytryny
lub limonki

5 daktyli (najlepiej
świeżych, ja miałam
tylko suszone)

łyżka spiruliny

CZĘŚĆ CZERWONA:

2 nieduże ugotowane buraki

garść orzechów włoskich

łyżeczka cynamonu

Każdą z części przygotowałam, miksując wszystkie składniki. W pojemniczku ułożyłam naprzemiennie po 2 warstwy każdego koloru. Spirulina jest zdrowa i daje ładną zieleń, dlatego jej użyłam. Można spróbować zrobić torcik bez spiruliny lub próbować zastąpić ją np. garścią szpinaku. Całość włożyłam do zamrażarki na 40 minut. Po wyjęciu na talerzyk posypałam nasionami chia, torcik można też wzbogacić inną ozdobą. To są składniki na jeden mały torcik dla dwóch osób.

Indyk ze szpinakiem

KOLACJA

SKŁADNIKI:

2 filety z piersi indyka

300 g mrożonego szpinaku

5 ząbków czosnku

2 łyżki jogurtu greckiego

sok z połowy cytryny

sól morska

rozmaryn, estragon,
biały pieprz

oliwa

masło klarowane

Filety z indyka dokładnie umyłam i osuszyłam. W miseczce wymieszałam oliwę z tymiankiem, białym pieprzem, rozmarynem i estragonem. Dobrze natarłam mięso oliwą z przyprawami i odłożyłam na 15 minut do lodówki. W garnku do gotowania na parze zagotowałam wodę i ułożyłam mięso na sitku. Ugotowałam. Na dno rozgrzanego woka (można też użyć płaskiego garnka) dałam 2 łyżki klarowanego masła, wrzuciłam szpinak. Dodałam bardzo drobno posiekany czosnek i sok z cytryny. Kiedy szpinak był gorący, dolałam jogurt, szczyptę soli i wszystko wymieszałam.

FILETY PODAŁAM
ZE SZPINAKIEM
I Z DWOMA PLASTRAMI POMIDORA
„BYCZE SERCE”.

Pół szklanki wody z cytryną

KOKTAJL: pietruszka i pomarańcza
(0,7 l wody mineralnej, 3 pęczki pietruszki,
4 limonki, kilka listków mięty)

Napar z młodej
pokrzywy

ŚNIA-DANIE

Granola

Za każdym razem może być inna, to pole do popisu dla eksperymentatorów. Bazą są zwykle płatki zbożowe, np. owsiane lub żytnie (płatków jest najwięcej – 3 lub 4 szklanki). Do płatków sypię garściami dodatki. Moje ulubione to: orzechy włoskie, siemię lniane, morwa, jagody goji, pestki słonecznika i nasiona chia. Wszystko mieszam dokładnie z 3–4 łyżkami miodu i łyżką oleju roślinnego, np. kokosowego lub lnianego, a następnie solę. Niektórzy dodają troszkę wody, aby uzyskać ulubioną konsystencję granoli. Mieszankę równomiernie rozkładam na blasze wyłożonej papierem do pieczenia i piekę ok. pół godziny (do chrupkości) w 160°C. W trakcie pieczenia można raz lub dwa przemieszać granolę, żeby wszystko się dobrze upiekło.

Mleko migdałowe

SKŁADNIKI:

250 g całych niełuskanych migdałów

woda

* takie mleko możesz wykonać samemu w domu:

Migdały umyłam i wsypałam do miski. Zalałam wodą i odstawiłam na noc. Odcedziłam je tak, by zostały bez łupinek, i zblendowałam na proszek. Dodałam szklankę wody i miksowałam do uzyskania konsystencji papki. Papkę zalałam szklanką gorącej wody i zaparzałam przez kilka minut. Odcedziłam przez ściereczkę (gaza, bardzo gęste sitko). Otrzymałam pół szklanki mleka migdałowego :)

UWIELBIAM GRANOLĘ
Z MLEKIEM MIGDAŁOWYM*.

Kwietniowa
sałatka

SKŁADNIKI:

garść roszponki
garść liści mlecza
garść rzeżuchy
garść szpinaku
2 jajka ugotowane na twardo
biały ser kozi
1/3 szklanki oliwy
łyżeczka musztardy dijon
łyżka jogurtu greckiego
pieprz biały, sól, kminek

Zielone warzywa umyłam i osuszyłam, wsypałam do salaterki. Jajka i ser pokroiłam w kostkę. Z oliwy, musztardy, jogurtu i przypraw zrobiłam sos. Wszystko wymieszałam.

Zupa selerowa z batatami

OBIAD

SKŁADNIKI:
2 duże bataty
2 średnie selery
cebula
garść natki pietruszki
masło klarowane
olej lniany
dowolne kiełki
sól morska, pieprz

Bataty i selery obrałam, umyłam i pokroiłam. Zalałam 5 szklankami wody. Na patelni poddusiłam na maśle poszatkowaną cebulę i dorzuciłam ją do garnka. Dodałam przyprawy i gotowałam wszystko, aż zrobiło się miękkie. Potem zmiksowałam całość i wymieszałam z natką. Dolałam trochę wody, bo zupa wyszła za gęsta. Dodałam kiełki i trochę oleju.

Boćwina (mangold) na ciepło z chlebem bezglutenowym

POD-WIECZO-REK

SKŁADNIKI:
mangold
nieduży kawałek pora
cebula
2 ząbki czosnku
2 łyżki klarowanego masła
łyżeczka miodu
½ łyżeczki kminku
sól morska, pieprz

Świeżą boćwinę (nie mylić z botwinką) umyłam i poszarpałam. Cebulę i por umyłam i pokroiłam w półtalarki. Czosnek posiekałam. Na rozgrzaną patelnię wrzuciłam masło, potem cebulę i por. Kiedy się lekko zeszkliły, dodałam boćwinę, sól i kminek. Dusiłam kilka minut. Wymieszałam z miodem. Można dodać łyżkę sosu sojowego.

Podałam z chlebem bezglutenowym.

200 g mąki gryczanej

150 g mąki ryżowej

150 g mąki kokosowej

5 szklanek wody

25 g drożdży

garść pestek z dyni i słonecznika

garść rodzynek lub jagód goji

łyżka siemienia lnianego

łyżeczka kminku

łyżka ksylitolu

płaska łyżka soli morskiej

Chleb
bez glutenu
z kokosem

W ciepłej wodzie rozpuściłam drożdże i odstawiłam na pół godziny. Potem wymieszałam wszystkie składniki i zmiksowałam. Odstawiłam do wyrośnięcia na godzinę. Ciasto przełożyłam do foremki, piekłam ok. godziny w 200°C.

Warzywa na parze
z łososiem z pieca

Umyte i obrane warzywa (marchewka, szpinak, brokuł, fasolka szparagowa) ugotowałam na parze do miękkości. Rybę skropiłam oliwą i sokiem z cytryny i wstawiłam do piecyka. Piekłam 15 minut w 180°C. Jeśli chcecie, by łosoś był bardziej soczysty, możecie go przed pieczeniem owinąć folią aluminiową (wersja mniej zdrowa). Przed podaniem skropiłam warzywa oliwą i dodałam nieco różnych ziół (bazylia, tymianek).

KOLACJA

145

Szklanka ciepłej wody z cytryną

Sok z brzozy

KOKTAJL: 2 jabłka, 2 limonki, 2 szklanki liści szpinaku, 4 liście jarmużu, surowy ogórek, pęczek kolendry, kawałek korzenia imbiru.

**ŚNIA-
DANIE**

Młode ziemniaki z sosem i orzechami

SKŁADNIKI:

10 niedużych młodych ziemniaków

szklanka orzechów włoskich

pęczek dymki

pęczek koperku

4 ząbki czosnku

oliwa z oliwek

łyżka miodu

sól morska, pieprz czarny, majeranek

łyżka soku z cytryny

Ziemniaki umyłam i ugotowałam w mundurkach. Obrałam i pokroiłam w ćwiartki. Dymkę umyłam i pokroiłam. Do słoiczka wlałam pół szklanki oliwy, sok z cytryny, miód i czosnek przeciśnięty przez praskę. Zakręciłam i potrząsnęłam. Ziemniaki wyłożyłam do salaterki, dodałam dymkę i posiekane orzechy. Wsypałam posiekany koperek i majeranek. Polałam całość sosem ze słoika. Popieprzyłam i wymieszałam.

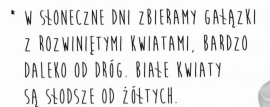

* W SŁONECZNE DNI ZBIERAMY GAŁĄZKI
Z ROZWINIĘTYMI KWIATAMI, BARDZO
DALEKO OD DRÓG. BIAŁE KWIATY
SĄ SŁODSZE OD ŻÓŁTYCH.

Kwiaty akacji

SKŁADNIKI:

12 kiści kwiatów akacji*

szklanka mąki z pełnego przemiału

szklanka mleka migdałowego
lub kokosowego

2 jajka

1/2 szklanki wody

W misce ubiłam jajka z wodą i mlekiem. Mieszając, dodawałam stopniowo mąkę. Ciasto powinno być jak gęsta śmietana, nie może spływać z łyżki. Kwiaty delikatnie umyłam i osuszyłam. Trzymając za ogonki, zanurzałam w cieście i smażyłam na rozgrzanym maśle klarowanym. Zjadamy same kwiaty.

Sałatka z ananasem

Jadalną część świeżego ananasa pokroiłam w plastry. Trzy mandarynki obrałam i podzieliłam na cząstki. Wrzuciłam do salaterki. Dodałam garść rodzynek, garść jagód goji (wcześniej namoczonych), 3 drobno pokrojone daktyle i garść pokruszonych orzechów nerkowca. Wszystko wymieszałam i obficie posypałam wiórkami kokosowymi.

SKŁADNIKI:

2 filety z piersi indyka

oliwa z oliwek

rozmaryn, tymianek,
sól morska, pieprz cayenne

Filety z indyka

Zupa szparagowa

2 pęczki zielonych szparagów

2 pory

cebula

ząbek czosnku

kilka kropli soku z cytryny

sól, pieprz, skórka otarta
z cytryny, tymianek

150

P odsmażyłam cebulę, pory
i czosnek. W garnuszku
podgotowałam szparagi.
Do szparagów dorzuciłam
przyprawy oraz białe warzywa.
Chwilę wszystko dusiłam.
Całość zmiksowałam.

Z oliwy i przypraw zrobiłam
marynatę. Na 2 godziny włożyłam
do niej umyte i lekko zbite filety
z indyka. Potem ugotowałam je na
parze. Podałam z sosem rabarbarowym
(2 łyżki na filet) i sałatą.

SKŁADNIKI:
pęczek rabarbaru
czerwona cebula
ząbek czosnku
szklanka miodu
starta gałka
muszkatołowa
2 goździki
mielony imbir,
mielony cynamon
oliwa
sok z połowy cytryny
sól morska

Sos z rabarbaru

Rabarbar umyłam, obrałam z twardych włókien, odcięłam końcówki. Pokroiłam w plasterki. Cebulę posiekałam w drobną kostkę. Na oliwę rozgrzaną na patelni wrzuciłam cebulę i czosnek, lekko zeszkliłam. Dodałam miód, dłuższą chwilę smażyłam. Wrzuciłam rabarbar i przyprawy, ale posoliłam dopiero, kiedy rabarbar był już miękki. Dusiłam na małym ogniu jeszcze 35 minut. Nadmiar sosu przełożyłam do słoika i wstawiłam do lodówki, by wykorzystać w następnych trzech dniach (do smażonego dorsza).

151

Purée ze świeżego groszku

Pół kilograma świeżego umytego groszku włożyłam na minutę do gotującej się i lekko osolonej wody. Odcedziłam i zmiksowałam. Na suchej patelni uprażyłam 2 łyżki sezamu i łyżkę płatków migdałowych. Wymieszałam z groszkiem i łyżką masła. Posypałam natką.

POD-WIECZO-REK

Jajecznica
z kozim serem i kurkami

SKŁADNIKI:

6 jajek
200 g miękkiego sera koziego
1/2 pęczka dymki
garść kurek (jeśli mamy)
sól morska, pieprz czarny
świeżo mielony, cząber
masło klarowane

Na rozgrzaną patelnię położyłam 2 płaskie łyżki masła. Dymkę umyłam, pokroiłam i wrzuciłam na patelnię. Kurki umyłam, rozdrobniłam, dodałam do dymki. Po minucie wbiłam jajka. Mocno zamieszałam. Pod koniec smażenia wrzuciłam ser pokrojony w niedużą kostkę, dużą szczyptę cząbru, szczyptę soli i pół łyżeczki pieprzu.

153

Sałatka majowa

Umyłam pęczek botwinki, oderwałam liście, wrzuciłam do salaterki. Dodałam szklankę umytej roszponki, szklankę umytych liści szpinaku i kilka poszarpanych liści świeżej sałaty. Dodałam umyte rzodkiewki pokrojone na pół oraz umytą i posiekaną natkę pietruszki. W słoiczku wymieszałam pół szklanki oliwy, łyżeczkę musztardy francuskiej, łyżkę octu balsamicznego, pół łyżeczki estragonu. Zamknęłam słoik, potrząsnęłam. Sos wlałam do sałatki i całość wymieszałam.

CZERWIEC

Szklanka wody z cytryną

Zielona herbata

KOKTAJL: garść truskawek, garść malin, grejpfrut, kilka listków melisy

154

ŚNIA-DANIE

Omlet z białek z kurkami

SKŁADNIKI:

3 białka jajek

garść kurek

½ łyżeczki masła klarowanego lub kokosowego

sól morska, pieprz

Białka ubiłam na sztywną pianę, dodałam sól i pieprz. W tym samym czasie na małym ogniu podsmażałam kurki na maśle klarowanym. Po kilku minutach dodałam białka i pod przykryciem smażyłam ok. 4 minut.

SKŁADNIKI:

3 dojrzałe banany

łyżka nasion chia

3 łyżki wrzątku

szczypta cynamonu

2¹/₂ łyżki oleju kokosowego

1¹/₂ szklanki mąki migdałowej

Chleb bananowy

155

W miseczce rozgniotłam banany. W drugiej małej miseczce zrobiłam tak zwane jajko chia – zamiennik jajka. Wsypałam nasiona, zalałam je wrzątkiem i odstawiłam na 2 minuty. Powstała „glutowata" konsystencja, która zlepia składniki (polecam do ciast). Do miski z bananami dodałam wszystkie pozostałe składniki i wymieszałam. Włożyłam masę do małej foremki (wyłożyłam ją papierem do pieczenia) i piekłam ok. 50–60 minut w 180°C.

Chłodnik

SKŁADNIKI:

3 buraki
pęk botwinki
surowy ogórek
pęczek rzodkiewki
mały pęczek szczypiorku
duży jogurt sojowy lub kozi
sól, pieprz, świeży tymianek

Buraki ugotowałam w mundurkach w wodzie z kurkumą i tymiankiem, obrałam i pokroiłam. Rzodkiewki i ogórek umyłam i pokroiłam w plasterki. Botwinkę krótko podgotowałam, wyjęłam i pokroiłam. W chłodnej wodzie po botwince wymieszałam wszystkie składniki i przyprawiłam. Całość zmiksowałam. Dodałam jogurt i wstawiłam do lodówki.
Na talerzach podałam ze świeżym tymiankiem.

Szaszłyki rybne z grilla

SKŁADNIKI:

3 grube filety z dorsza

młoda cukinia

kilka świeżych moreli

cytryna (sok plus kilka plasterków)

jasny sos sojowy

masło klarowane

kurkuma

oliwa

sól

Filety rybne umyłam i pokroiłam w dużą kostkę. Z sosu sojowego, oliwy i soku z cytryny oraz kurkumy zrobiłam marynatę, którą natarłam ryby. Cukinię umyłam i pokroiłam wzdłuż na bardzo cienkie plastry – wstążki. Wrzuciłam ją na 3 minuty do wrzątku, by zmiękła. Morele przekroiłam na połówki. Przygotowałam kilka półplasterków cytryny. Na patyczki naprzemiennie wsuwałam rybę i morele, w połowie patyczka umieszczałam cytrynę. Piekłam na grillu kilka minut, przewracając.

Sałatka czerwcowa

POD-WIECZO-REK

Umyte liście szpinaku, szczawiu, rukoli, roszponki i selera wymieszałam w równych proporcjach w misce. Kozi camembert pokroiłam w plastry i wyłożyłam na sałaty. Dodałam sos z oliwy i octu balsamicznego (w równych proporcjach). Posypałam orzeszkami pinii i kilkoma czereśniami.

Bób z kurkami

KOLACJA

SKŁADNIKI:
3 szklanki bobu
3 szklanki świeżych kurek
dymka
masło klarowane
masło
jogurt sojowy
świeży tymianek
świeży koperek
sól morska

Bób umyłam i ugotowałam w lekko osolonej wodzie. Kurki oczyściłam. Na patelni rozgrzałam masło i wrzuciłam kurki, dodałam tymianek i szczyptę soli. Dusiłam kilka minut, pod koniec dodałam 3 łyżki naturalnego jogurtu sojowego. Wymieszałam kurki z bobem, dodałam łyżkę świeżego masła i dużo koperku.

Szklanka wody z cytryną

Mięta

KOKTAJL: $^1/_3$ arbuza, 2 buraki, garść truskawek

ŚNIA-DANIE

160

SKŁADNIKI:

1$^1/_2$ szklanki ugotowanej na sypko niepalonej kaszy gryczanej

łyżka kakao lub karobu

łyżka masła kokosowego

miód

garść malin

cynamon

pół łyżeczki domowego cukru waniliowego

wiórki kokosowe i banan do dekoracji

Kasza gryczana na słodko

Karob, masło, miód i cynamon wymieszałam z gorącą kaszą. Na talerzach ozdobiłam malinami i wiórkami kokosowym.

Domowy cukier waniliowy

Wystarczy kupić 2–3 laski wanilii (w internecie można znaleźć tańsze niż te dostępne w sklepach, warto przed zakupem sprawdzić ich termin ważności). Wyskrobany miąższ z ziarenkami miksujemy z 2 szklankami cukru. Wydrążone laski wstawiamy do słoika i zasypujemy cukrem z ziarnami. Gotowe! To zdrowszy i chyba nawet tańszy produkt niż sklepowy cukier waniliowy.

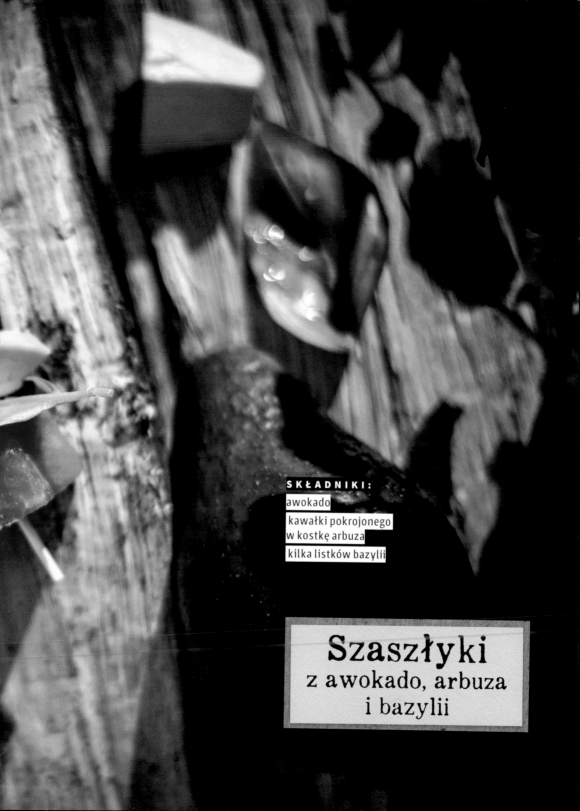

SKŁADNIKI:
awokado
kawałki pokrojonego
w kostkę arbuza
kilka listków bazylii

Szaszłyki
z awokado, arbuza
i bazylii

OBIAD

Krem z cukinii z miętą

SKŁADNIKI:

3–4 cukinie

3 nieduże ząbki czosnku

masło klarowane

garść natki pietruszki

garść mięty

świeża bazylia

sól, pieprz, majeranek, tymianek

olej lniany

kiełki do dekoracji

Cukinie obrałam, pokroiłam w plastry i poddusiłam na maśle klarowanym, pod koniec duszenia dorzuciłam pokrojony czosnek. Wszystko wrzuciłam do garnka, zalałam wodą, dodałam przyprawy i gotowałam 15 minut. Potem dorzuciłam listki bazylii, mięty i natki. Całość zmiksowałam. Dodałam do kremu lnianego oleju, a w miseczkach ozdobiłam go kiełkami.

Makaron ze szpinakiem

SKŁADNIKI:

pełnoziarnisty makaron tagliatelle

(makaron bezglutenowy, np. kukurydziany)

1 kg szpinaku

6 ząbków czosnku

ser feta

garść orzechów włoskich

masło klarowane

sól morska

świeża bazylia

pomidorki koktajlowe

Makaron ugotowałam al dente w lekko osolonej wodzie. Na patelni rozgrzałam masło i wrzuciłam umyty szpinak oraz posiekany czosnek. Dodałam odrobinę wody i dusiłam 5 minut. Do miski wrzuciłam makaron i wymieszałam go ze szpinakiem. Posypałam całość pokruszonymi orzechami włoskimi i fetą. Ozdobiłam listkami bazylii i pomidorkami.

Kanapki z ogórkami małosolnymi

Kromki chleba ze słonecznikiem posmarowałam masłem i posypałam świeżym koperkiem i szczypiorkiem. Ogórki małosolne przekroiłam na pół. Każdą połówkę ogórka posmarowałam świeżym miodem.

Chleb ze słonecznikiem i jagodami goji

SKŁADNIKI:

600 g mąki razowej
lub orkiszowej

200 g mąki gryczanej

700 ml wody

łyżka klarowanego masła

40 g drożdży lub zakwas

2 łyżki soli morskiej

1/2 szklanki siemienia
lnianego

1/2 szklanki jagód goji

1/2 szklanki pestek z dyni
i pestek słonecznika

miód

PRZEPIS NA ZAKWAS

Pół filiżanki pełnoziarnistej mąki żytniej zalałam filiżanką wody w czystym szklanym słoiku i wymieszałam. Słoik przykryłam bawełnianą ściereczką i odstawiłam na 3 dni. Zakwas powinien bąbelkować, mieć specyficzny, nieco drożdżowy zapach.

PIECZENIE CHLEBA

Jagody goji zalałam w miseczce wodą i odstawiłam do namoczenia. Do miski wrzuciłam drożdże (można je zastąpić zakwasem), dodałam łyżeczkę miodu, trochę wody i zmiksowałam. Odstawiłam na kwadrans. Dodałam do miski oba rodzaje mąki, klarowane masło i resztę składników. Wymieszałam wszystko i wyrobiłam ciasto. Odstawiłam na 40 minut. Potem przełożyłam je do foremki wyłożonej papierem do pieczenia, wstawiłam do piekarnika i piekłam 70 minut w 200°C.

Młoda kapusta

SKŁADNIKI:

główka młodej
kapusty (ok. 1 kg)

warzywa na bulion
(marchew, pietruszka,
seler, por) lub gotowy
bulion bio

2 suszone śliwki

2 suszone grzyby

kwaśne jabłko

cebula

ziele angielskie (3 ziarenka)

liść laurowy

¹/₂ łyżeczki kminku

¹/₂ łyżeczki lubczyku

¹/₂ łyżeczki majeranku

3 łyżki oleju z pestek
winogron lub innego
oleju do smażenia

sól

Grzyby namoczyłam w wodzie. Warzywa oskrobałam, umyłam i ugotowałam w lekko osolonej wodzie z listkiem laurowym i zielem angielskim. Uzyskałam l bulionu. Warzywa pokroiłam i wykorzystałam jako dodatek do ugotowanej komosy na śniadanie następnego dnia.

Na rozgrzaną patelnię wlałam olej i wrzuciłam drobno pokrojoną cebulę. Kiedy się szkliła, umyłam kapustę i obrałam kilka uszkodzonych liści. Poszatkowałam. Obrałam i pokroiłam kwaśne jabłko i wymieszałam z kapustą. Grzyby pokroiłam. Do garnka przelałam zawartość patelni, dołożyłam kapustę z jabłkiem i grzyby z wodą, w której się moczyły. Dorzuciłam śliwki i kminek. Zalałam gorącym bulionem. Dosypałam lubczyku. Pod koniec gotowania (na małym ogniu) dorzuciłam majeranek.

167

Pół szklanki wody z cytryną

KOKTAJL: szklanka jagód, szklanka
ugotowanej kaszy jaglanej, garść migdałów,
2 banany, pół szklanki mleka kokosowego

Napój wakacyjny

Do litrowego słoja wrzuciłam garść świeżych liści
mięty, gałązkę rozmarynu, garść płatków róż
(może też być garść kwiatów lawendy). Zalałam
chłodną wodą mineralną, przykryłam gazą i wstawiłam
do lodówki na noc. Rano napój był gotowy. Można
dodać kilka kropli soku z cytryny lub pomarańczy.

ŚNIA-DANIE

SKŁADNIKI:

4 banany

4 jajka

3 łyżeczki mąki kokosowej
lub wiórki kokosowe

szczypta cynamonu

olej kokosowy

Placki bananowe

Wszystkie składniki
zmiksowałam
i usmażyłam w formie
placuszków na oleju kokosowym.
Podałam z garścią malin.

Miseczki z grejpfruta

Dwa grejpfruty umyłam i przekroiłam na pół. Wydrążyłam. Miąższ pokroiłam w kostkę i wrzuciłam do miski. Maliny, jagody i jeżyny (po garści) umyłam i wrzuciłam do miski. Dorzuciłam kilka listków mięty oraz garść posiekanych orzechów brazylijskich. Wszystko wymieszałam i nałożyłam do połówek grejpfruta. Ozdobiłam listkami świeżej melisy.

169

Krem z brokułu i rukoli

SKŁADNIKI:

2 szklanki rukoli

brokuł

cebula

2 ząbki czosnku

2 marchewki

½ selera

olej kokosowy lub inny tłuszcz roślinny

kilka migdałów

kminek, sól morska, curry lub kurkuma, sól czarna

Na patelni rozgrzałam olej kokosowy i poddusiłam pół cebuli z czosnkiem. Wszystkie warzywa umyłam, brokuł podzieliłam na cząstki, marchew i seler obrałam i pokroiłam. W garnku ugotowałam brokuł i dodałam przyprawy, marchew, seler i drugą połowę cebuli. Kiedy warzywa zmiękły, zmiksowałam je wraz z zawartością patelni, dodałam rukolę i gotowałam kolejne 3 minuty. Po ponownym zmiksowaniu dorzuciłam migdały.

Czasami dodaję do tej zupy nieco chilli.

Zapiekanka z kaszy jęczmiennej

SKŁADNIKI:

szklanka kaszy jęczmiennej

brokuł

marchewka

pietruszka

kawałek selera

duża cebula

szklanka grzybów suszonych lub 2 szklanki świeżych grzybów leśnych

sól morska, pieprz czarny, tymianek, koperek, majeranek

2 łyżki zmielonych migdałów

masło klarowane

Kaszę umyłam i ugotowałam w 2 szklankach lekko osolonej wody. Suszone grzyby zmieliłam na proszek. Brokuł umyłam i podzieliłam na małe różyczki. Marchewkę, seler i pietruszkę oskrobałam i umyłam. W niewielkiej ilości wody ugotowałam na półtwardo marchew, seler, pietruszkę i brokuł. Cebulę pokroiłam w drobną kostkę. Jeśli używamy świeżych grzybów, to trzeba je pokroić. Na patelnię z rozgrzanym masłem klarowanym wrzuciłam cebulę i zeszkliłam (teraz dodajemy świeże grzyby).

Do dużej miski wrzuciłam ugotowaną kaszę, zawartość patelni, zmielone grzyby suszone, różyczki brokułu oraz marchew, pietruszkę i seler – starte na tarce o dużych oczkach. Dodałam przyprawy i wszystko wymieszałam. Przełożyłam do żaroodpornego naczynia. Posypałam zmielonymi migdałami. Piekłam 15 minut w 180°C.

Lody z kiwi

Dziesięć kiwi obrałam i wrzuciłam do miski. Dodałam 4 łyżki płynnego miodu. Wszystko zmiksowałam. Przelałam do foremek na lody i wstawiłam do zamrażalnika. Można też użyć pojemników po jogurtach, a jako patyczki wykorzystać np. plastikowe widelczyki.

Kurczak z grilla

Obrałam z listków gałązki estragonu, rozmarynu i koperku. Do słoika wlałam pół szklanki oliwy, 2 łyżki octu i wsypałam zioła, kminek oraz garść posiekanego szczypiorku. Wycisnęłam czosnek przez praskę. Zakręciłam słoik i mocno nim potrząsnęłam. Umyłam filety z kurczaka, włożyłam do miski i zalałam marynatą ze słoika, po czym wtarłam ją w mięso. Odstawiłam do lodówki. Ser pleśniowy rozgniotłam i zmieszałam z 2 łyżkami masła klarowanego. Filety piekłam na grillu po kilka minut z każdej strony, potem na każdym z nich położyłam porcję sera z masłem i dalej piekłam do kruchości.

173

Sałatka z pomidora i kiwi

Do miski wrzuciłam 3 pomidory pokrojone w plastry, 3 obrane kiwi pokrojone w plastry oraz posiekany pęczek dymki. Posoliłam i popieprzyłam, wymieszałam.

WRZESIEŃ

Szklanka wody z cytryną

Kompot ze śliwek

KOKTAJL: 2 gruszki, 5 daktyli, jabłko, garstka jagód goji i łyżeczka nasion chia

ŚNIA-DANIE

SKŁADNIKI:

kiść winogron

kilka węgierek

kilka mirabelek

kilka czerwonych śliwek

miękka i soczysta gruszka

2–3 brzoskwinie

kilka moreli

banan

Miska kolorów i smaków

Banana i gruszkę obrałam i pokroiłam. Brzoskwinie pokroiłam. Winogrona, śliwki i morele przekroiłam na pół. Wymieszałam w salaterce wszystkie owoce, puściły sok, więc sos nie był potrzebny.

II ŚNIA-DANIE

SKŁADNIKI:

2 szklanki ugotowanej kaszy jaglanej

2 łyżki mąki ryżowej (można zrobić placki bez mąki)

jajko

2 łyżki mleka kokosowego lub wody

szczypta cukru trzcinowego lub ksylitolu

łyżka masła kokosowego

duża szczypta czarnuszki

Placki jaglane

Wszystkie składniki (oprócz masła) wymieszałam i zblendowałam. Masa powinna być gęstsza niż na naleśniki. Placuszki smażyłam pod przykryciem na maśle kokosowym.

Zupa dyniowa z odrobiną lata – pomarańczą i kokosem.

Niedużą dynię pokroiłam w kostkę. Na maśle kokosowym poddusiłam cebulę i ząbki czosnku. Kiedy cebula zmiękła, dodałam dynię i zalałam wszystko wodą. Dusiłam na małym ogniu, a pod koniec dodałam sok wyciśnięty z pomarańczy i mleko kokosowe. Doprawiłam solą, pieprzem i curry. Wszystko zmiksowałam na gęsty krem.

SKŁADNIKI:

nieduża dynia (ok. 600 g)

cebula

3 ząbki czosnku

sok z pomarańczy

½ szklanki mleka kokosowego

masło kokosowe

sól, pieprz, curry

Kruszonka
z płatków owsianych,
jabłek i malin

SKŁADNIKI:

6 jabłek lub słoik prażonych jabłek bio
$1/2$ szklanki malin, można dodać
też jagody lub żurawinę
2 łyżki miodu
$1/2$ szklanki płatków, np. orkiszowych
łyżka syropu klonowego
lub prawdziwego miodu
sparzone migdały
szczypta cynamonu i kardamonu

Jabłka obrałam i pokroiłam na cienkie cząstki. Żaroodporną foremkę natłuściłam masłem i wyłożyłam do niej jabłka oraz umyte maliny. W miseczce wymieszałam płatki z syropem, miodem, migdałami i przyprawami. Wyłożyłam na owoce. Piekłam w 180°C przez ok. 40 min.

Filet z kaczki

SKŁADNIKI:

4 filety z piersi kaczki

sól morska

pieprz świeżo mielony

łyżeczka majeranku

łyżeczka rozmarynu

3 ziarna jałowca zgniecione
w moździerzu

S O S :

2 szklanki owoców (maliny,
jeżyny czerwone i czarne,
a także porzeczki)

3 goździki, starta gałka
muszkatołowa, szczypta
cynamonu i imbiru

¹/₂ szklanki miodu

łyżka octu winnego
z czerwonego wina

masło klarowane

Filety umyłam i osuszyłam. Ponacinałam co 2 cm w kratkę, przecinając skórę do mięsa. Mocno natarłam je przyprawami, zawinęłam w folię i włożyłam na noc do lodówki. Wyjęłam filety i położyłam na zimnej i suchej patelni, skórą do dołu. Smażyłam na małym ogniu do wytopienia się całego tłuszczu i zarumienienia skóry. Kiedy filety odchodziły od patelni, przewróciłam je na drugą stronę i smażyłam jeszcze kilka minut. Znów obróciłam na 2 minuty. Zdjęłam filety i odstawiłam do ostygnięcia. Dopiero wtedy je pokroiłam. Podałam z sosem z leśnych owoców i sałatką ze świeżego ogórka, dymki i koperku.

SOS Z LEŚNYCH OWOCÓW

W rondelku rozgrzałam masło i wrzuciłam umyte owoce. Dodałam miód, ocet i przyprawy. Dusiłam, aż sos odparował i wyraźnie zgęstniał. Pokrojoną kaczkę polałam smugą sosu.

179

Szklanka ciepłej wody z cytryną

Herbata z owoców dzikiej róży

KOKTAJL: mała dynia, 2 jabłka,
banan, łyżka miodu, szczypta cynamonu

180

Naleśniki
z bazylią

ŚNIA-DANIE

SKŁADNIKI:

2 szklanki mąki kasztanowej

szklanka mleka sojowego

2 jajka

2 garści bazylii

szczypta soli

Ubiłam jajka z mlekiem. Nie przerywając miksowania, stopniowo dodawałam mąkę, potem bazylię. Posoliłam. Usmażyłam naleśniki. Zamiast jajek można użyć szklanki wody gazowanej. Jeśli masa jest za gęsta, dodaję nieco więcej mleka.

Pomidory z pesto

Awokado, bazylia, pietruszka,
mięta, olej lniany, sól
morska i pieprz – wszystko
zmiksowałam i tak otrzymaną pastę
wyłożyłam na połówki pomidorów.

181

SKŁADNIKI:

1/2 kg białej fasoli

duży słoik (750 ml) gęstego przecieru z pomidorów

2 duże cebule

3 ząbki czosnku

liść laurowy

oliwa z oliwek

sól morska, pieprz

łyżka majeranku

łyżeczka cząbru

natka pietruszki

Fasolę namoczyłam na noc. Opłukałam i gotowałam około godziny w wodzie z dodatkiem liścia laurowego. Na patelni rozgrzałam oliwę i wrzuciłam cebulę i czosnek pokrojone w drobną kostkę. Kiedy się zeszkliły, dołożyłam przecier. Chwilę dusiłam, następnie zmiksowałam. Dodałam do gotującej się fasoli (jeśli poziom wody jest wyższy niż fasoli, należy odlać trochę wody przed dodaniem sosu). Dorzuciłam pieprz, majeranek i cząber, wymieszałam i dusiłam jeszcze kwadrans. Posypałam natką pietruszki.

Fasolka
prawie po bretońsku

Ciastka buraczane

SKŁADNIKI:

2 buraki

3 łyżki mąki jaglanej

łyżka pestek słonecznika

łyżka siemienia lnianego

łyżka miodu

cukier waniliowy

szczypta cynamonu

Buraki najpierw ugotowałam bez obierania, dopiero później je obrałam i pokroiłam w kostkę, wymieszałam z pozostałymi składnikami i zmiksowałam. Formowałam ciastka i układałam na blasze wyłożonej papierem do pieczenia. Piekłam ok. 40 minut w 150°C (ostatnie 5 minut w 180°C).

Zupa z pasternaku i topinamburu

SKŁADNIKI:

duża cebula

3 korzenie pasternaku

imbir (wielkości kciuka)

2 bulwy topinamburu

por

garść orzechów pekan lub włoskich

sól, pieprz czarny, czosnek mielony, majeranek, tymianek, kurkuma

masło kokosowe

mleko kokosowe

W płaskim garnku zeszkliłam cebulę i por na maśle kokosowym. W tym czasie pokroiłam pasternak, topinambur i imbir – wszystko wrzuciłam do garnka z cebulą. Wlałam wodę (niedużo) i dusiłam. Pod koniec duszenia dodałam orzechy i przyprawy. Kiedy warzywa były miękkie, wszystko zmiksowałam. Ponieważ smak imbiru był według mnie zbyt wyraźny, dolałam nieco wody i mleka kokosowego. Ozdobiłam kiełkami.

Można zrobić zupę tylko z pasternaku, ewentualnie próbować zastąpić topinambur batatami lub ziemniakami.

Pół szklanki ciepłej wody z cytryną

HERBATKA KARDAMONOWA
Kilka ziaren kardamonu rozgniotłam w moździerzu i zalałam
wrzątkiem. Dodałam łyżeczkę miodu gryczanego

KOKTAJL: 2 małe marchewki, 2 kwaśne jabłka,
2 łyżki zmielonego siemienia lnianego

ŚNIA-
DANIE

186

Krupnik

SKŁADNIKI:
2 kurze lub indycze udka
szklanka kaszy jęczmiennej
3 marchewki
korzeń pietruszki
$1/2$ selera
por
3–4 ziemniaki
4 ziarenka ziela angielskiego
liść laurowy
płaska łyżka kminku
lubczyk, tymianek, kurkuma,
natka pietruszki
sól morska

Do garnka z wrzącą wodą
dodałam kolejno: dużą
szczyptę tymianku,
szczyptę kurkumy, kminek,
przepłukaną kaszę, umyte
i osuszone udka, ziele angielskie.
Gotowałam wszystko 20 minut.
Dodałam odrobinę soli, garść
natki, łyżeczkę majeranku, umyte,
obrane i pokrojone marchewki,
seler, por i ziemniaki. Gotowałam,
aż warzywa zrobiły się miękkie.

SKŁADNIKI:
kawałek dyni o objętości 2 szklanek
2 słodkie jabłka
szklanka winogron
lub duża garść rodzynek
łyżeczka soku z cytryny
łyżeczka ksylitolu

Surówka z dyni

187

Dynię i jabłka obrałam, umyłam i starłam na tarce o dużych oczkach. Wymieszałam z resztą składników.

SKŁADNIKI:

- 6 papryk, po 2 z każdego koloru
- 4 cebule
- 5 pomidorów
- mały kabaczek
- główka czosnku
- masło klarowane
- pieprz czarny, pieprz kolorowy, sól morska, papryka mielona, chilli

Papryki pozbawiłam gniazd nasiennych i białych części, umyłam i pokroiłam na nieduże kawałki. Pomidory włożyłam na kilka chwil do wrzącej wody, wyjęłam, spłukałam zimną wodą, obrałam ze skórki i pokroiłam na kawałki. Cebule obrałam i pokroiłam w piórka. Kabaczek przekroiłam, wycięłam część nasienną, obrałam, umyłam i pokroiłam w kostkę. Czosnek pokroiłam w plasterki.

W garnku o grubym dnie rozpuściłam masło i wrzuciłam cebulę, po 2 minutach dorzuciłam czosnek. Potem dodałam papryki. Kiedy wszystko troszkę zmiękło, dołożyłam kabaczek i pomidory. Polałam sosem sojowym. Przyprawiłam paprykami i pieprzem w różnych kolorach. Dosmaczyłam solą. Dusiłam 30 minut.

Takie leczo można jeść samo, jak zupę. Ja podałam z porcjami komosy ryżowej (szklanka komosy ugotowana w półtorej szklanki lekko osolonej wody).

Leczo

Pudding chia

SKŁADNIKI:

CZĘŚĆ BIAŁA:	CZĘŚĆ KOLOROWA:
2 łyżki nasion chia (pełnowartościowe białko, które jest bardzo zdrowe)	2 łyżki nasion chia
szklanka mleka kokosowego	szklanka mleka kokosowego
$1/2$ szklanki mleka ryżowego	łyżeczka syropu z agawy
łyżka syropu z agawy	łyżeczka dżemu z owoców leśnych lub 2 łyżki suszonych owoców acai

Wszystko zmieszałam w słoiku i nim potrząsnęłam. Przed wstawieniem do lodówki można dodać łyżkę jagód goji.

Wymieszałam w słoiku i wstawiłam do lodówki. Przed podaniem na część białą wyłożyłam część kolorową.

TAKI PUDDING
TO DOSKONAŁA OPCJA TAKŻE
NA ŚNIADANIA I DESERY.

192

Łosoś w sezamie
z purée brokułowym

SKŁADNIKI:

3 lub 4 filety z łososia
5 łyżek oliwy
1/3 szklanki sezamu
cytryna
sól, pieprz

Umyłam dokładnie łososia, osuszyłam, doprawiłam solą i pieprzem, skropiłam cytryną i wysmarowałam oliwą. Wysypałam sezam na talerz i obtoczyłam w nim łososia. Rozgrzałam piekarnik do 180°C. Kawałki ryby w sezamie ułożyłam na blaszce (z papierem do pieczenia) i piekłam 15 minut. Podałam z sałatą skropioną oliwą i octem balsamicznym oraz plasterkami ogórka.

Purée brokułowe

SKŁADNIKI:
- 2 brokuły
- cebula lub pęczek dymki
- olej kokosowy lub masło klarowane
- sól, pieprz, kurkuma

W płaskim garnku rozgrzałam łyżkę tłuszczu i zeszkliłam na niej drobno pokrojoną cebulkę. Wrzuciłam umyte brokuły podzielone na różyczki i dodałam tyle wody (może być wywar z warzyw, jeśli mamy własny), żeby prawie przykryła warzywa. Kiedy brokuły były półtwarde, wszystko zmiksowałam. Dodałam szczyptę soli i szczyptę pieprzu. Można dodać także kurkumę.

Pół szklanki ciepłej wody z cytryną.

KOKTAJL: burak, 2 pory, marchew, korzeń selera

Kawa rozgrzewająca

SKŁADNIKI:

2 łyżeczki naturalnej zmielonej kawy

szczypta imbiru

szczypta cynamonu

szczypta kardamonu

łyżka miodu (najlepiej rzepakowy lub wielokwiatowy)

łyżka kakao (prawdziwego)

W garnuszku zagotowałam półtorej szklanki wody, dodałam kawę, cynamon, imbir i kardamon (można dodać też goździki). Na koniec dosypałam kakao. Gotowałam na małym ogniu przez 10 minut. Odstawiłam garnuszek na bok do czasu opadnięcia fusów. Można dodać łyżkę miodu.

STARAJMY SIĘ ZNAJDOWAĆ W SOBIE
I INNYCH DOBRE RZECZY I DZIELMY SIĘ
DOBRĄ ENERGIĄ, ONA WRACA.

Kasza jaglana
z jabłkami

SKŁADNIKI:

szklanka kaszy jaglanej
jabłko
rodzynki lub żurawina
łyżka miodu
łyżka masła klarowanego
łyżeczka soku z cytryny
cynamon, kardamon, imbir

196

Kaszę ugotowałam w dwóch szklankach lekko osolonej wody. Jabłko w plastrach poddusiłam w drugim garnuszku, w odrobinie wody z klarowanym masłem. Dodałam umyte rodzynki (może być żurawina) i sok z cytryny. Wymieszałam z ugotowaną kaszą i przyprawiłam.

Kanapki z chleba z ziaren z pastą z awokado i pomidorem

SKŁADNIKI:

szklanka pestek ze słonecznika

¹/₂ szklanki pestek dyni

¹/₂ szklanki nerkowców

¹/₂ szklanki siemienia lnianego

2 czubate łyżeczki nasion chia lub żurawiny, lub jagód goji

łyżka syropu z agawy

1¹/₂ szklanki płatków jaglanych (lub owsianych – wtedy jednak będzie to chleb z glutenem)

3 łyżki masła klarowanego lub masła kokosowego

2 łyżeczki soli morskiej

1¹/₂ szklanki wody

198

CHLEB Z ZIAREN

Wodę (lekko ciepłą), masło i syrop wymieszałam w garnuszku, a suche składniki – w misce. Potem płynne dodałam do suchych i połączyłam. Odstawiłam na noc (koniecznie trzeba odstawić na co najmniej 2 godziny). Rano rozgrzałam piekarnik do 180°C i piekłam chleb przez 20–40 minut na środkowej półce (piekarniki mogą się różnić, sprawdzaj podczas pieczenia, czy chleb jest już gotowy). Chleb jest gotowy, gdy popukamy od spodu i usłyszymy głuchy odgłos.

PASTA Z AWOKADO DO KANAPEK

Awokado doskonale zastępuje tłuszcz do kanapek. Warunek – musi być dojrzałe. Już w sklepie warto sprawdzić, czy jest miękkie. Najlepiej kupić takie, które tylko lekko ugina się pod naciskiem. Zbyt miękkie może być już przejrzałe, a twarde będzie zbyt długo dojrzewać w domu.

Awokado umyłam i przekroiłam wzdłuż na pół. Wbiłam widelec w pestkę i ją usunęłam. Bardzo dokładnie wyjęłam miąższ owocu. Wymieszałam go w miseczce z sokiem z cytryny i dodałam 2 ząbki czosnku, bazylię, paprykę słodką, pieprz kolorowy. Awokado jest tak neutralne, że za pomocą przypraw można wykreować pastę o ulubionym smaku i aromacie.

Posmarowałam pastą kromki chleba z ziaren, położyłam na to plastry pomidora i po listku bazylii, każdą kromkę przykryłam drugą kromką, zapakowałam w papier i wzięłam do pracy ☺.

199

Pieczone ziemniaki ze szpinakiem

SKŁADNIKI:

4 duże ziemniaki
mrożony szpinak
5 dużych ząbków czosnku
2 łyżki jogurtu greckiego
oscypek (prawdziwy,
z owczego mleka)
lub kozi ser
oliwa z oliwek
masło klarowane
majeranek, tymianek,
sól morska
świeży koperek

Ziemniaki dokładnie umyłam (nie obierałam) i natarłam oliwą z tymiankiem i majerankiem. Piekarnik nagrzałam do 190°C. Blaszkę (lub foremkę) wyłożyłam papierem do pieczenia i ułożyłam na niej ziemniaki. Piekłam 20 minut, potem przewróciłam je na drugą stronę i znów piekłam 20 minut.

W tym czasie na rozgrzaną patelnię wrzuciłam 2 łyżki klarowanego masła i szpinak. Dodałam obrany i posiekany czosnek, posoliłam. Pod koniec duszenia dodałam jogurt (szpinak nie powinien być zbyt rzadki).

Każdego ziemniaka przekroiłam wzdłuż do 2/3 głębokości. W powstałą szczelinę nakładałam gorący szpinak i po kilka pasemek oscypka. Podałam na jogurcie i posypałam koperkiem.

Zupa z porów

Pory umyłam i pokroiłam w talarki. Na rozgrzanej patelni rozpuściłam masło i poddusiłam na nim pory przez 4 minuty. W garnku zagotowałam wodę z przyprawami i sosem sojowym, wrzuciłam do niej umytą, oskrobaną i pokrojoną pietruszkę, umyte i obrane ziemniak i iseler. Woda powinna tylko przykryć warzywa. Dodałam zawartość patelni. Można dodać łyżkę kwaśnej śmietany. Zmiksowałam. Przed podaniem posypałam natką i koperkiem.

SKŁADNIKI:

3 duże pory
korzeń pietruszki
kawałek selera
2 większe ziemniaki
masło klarowane do smażenia
łyżeczka świeżo zmielonej gałki muszkatołowej
imbir, kminek
łyżka dobrego sosu sojowego
natka pietruszki, koperek

Placek dyniowy

SKŁADNIKI:

2 szklanki upieczonej dyni

2 szklanki mąki kukurydzianej

½ szklanki ksylitolu (lub
cukru trzcinowego)

łyżeczka proszku do pieczenia

żółtko

2 białka

2 łyżki domowego cukru waniliowego

łyżka cynamonu

sok z połowy pomarańczy

Dynię pokrojoną w kostkę piekłam 20 minut w 190°C. Białka ubiłam z ksylitolem. W misce wymieszałam pozostałe składniki. Delikatnie dodałam do nich pianę z białek. Dosypałam trochę pestek dyni (można dodać rodzynki). Wyłożyłam do okrągłej formy. Piekłam 25 minut w 160°C. Jedna uwaga: masa powinna być kleista przed włożeniem do piekarnika. Za pierwszym razem, kiedy dodałam za dużo mąki, placek był lekko twardy.

Łosoś z roszponką i imbirem

Rybę umyłam i pokroiłam na porcje. Skropiłam sokiem z cytryny, oliwą z oliwek i dodałam przyprawy: sezam i imbir. Piekłam 20 minut na grillu w piekarniku rozgrzanym do 200°C. Podałam z mieszanką sałaty rzymskiej i roszponki oraz pomidorkami cherry.

SKŁADNIKI:

szklanka płatków owsianych
125 g malin
łyżka oleju kokosowego
garść żurawiny
2 łyżki miodu
5–6 orzechów włoskich
cynamon, szczypta soli

Ciasteczka
z płatków owsianych
z orzechami i malinami

Wszystko zmiksowałam.
Piekłam 15–20 minut w 180°C.

2. FILAR ZDROWIA
Równowaga
wewnętrzna

Niejednokrotnie pacjenci zgłaszający się do lekarza, ponieważ dokucza im ból, słyszą: „to nerwowe". Wiadomo, że np. wrzody żołądka czy niektóre choroby serca swoją pierwotną przyczynę mają w naszej psychice. Także nadwaga i jej następstwo – otyłość nie są u wielu skutkiem tylko złych wyborów żywieniowych, ale efektem nieradzenia sobie ze stresem.

Wewnętrzna równowaga to – oprócz właściwej diety i aktywności fizycznej – drugi filar zdrowia. Wszystkie trzy mają na siebie szalenie istotny wpływ. Prawidłowe odżywianie pomaga w zmobilizowaniu się do treningów. Treningi w piękny sposób regulują nastrój i odstresowują. Wewnętrzny spokój pozwala na systematyczne utrzymywanie diety i aktywności fizycznej. Ten idealny stan nie pojawia się oczywiście od razu. Ale warto o nim wiedzieć, kiedy startuje się ze zmianami na lepsze w życiu – będzie coraz łatwiej.

Ogromny wpływ na nasze zdrowie ma stres, czyli zespół zjawisk biochemicznych zachodzących w naszym organizmie w reakcji na bodziec – stresor. Organizm taki sygnał odczytuje jako konieczność walki z zagrożeniem. Nadnercza pobudzone przez układ nerwowy produkują zwiększoną ilość adrenaliny i noradrenaliny. Gwałtowny wyrzut tych hormonów przyspiesza oddech i rozszerza oskrzela. Serce też pracuje szybciej, zwiększa się tętno, więcej tlenu trafia do mięśni szkieletowych, wątroba z zapasów glikogenu uwalnia do krwi glukozę, tłuszcze zostają rozłożone na kwasy tłuszczowe i glicerol. Dużo się dzieje, prawda? A to tylko początek. Po kilku minutach lub godzinach uaktywnia się tzw. oś HPA, czyli podwzgórze–przysadka–nadnercza. Najistotniejszy efekt aktywności tej osi to zwiększona produkcja kortyzolu, który – m.in. przez podniesienie poziomu glukozy we krwi i rozkład kwasów tłuszczowych – przekierowuje cały organizm do walki ze stresem. Niestety, hormony wydzielane w czasie aktywności osi HPA osłabiają działanie limfocytów, a co za tym idzie – układu odpornościowego.

Ten zespół reakcji na stresor wypracowały już organizmy naszych dalekich przodków. Pomagał ludziom podjąć walkę w sytuacji zagrożenia lub uciekać.

A kiedy zagrożenie mijało, organizm człowieka pierwotnego wracał do trybu „spokój", co pozwalało się zregenerować i dalej funkcjonować prawidłowo.

Obecnie skomplikowana struktura naszego życia dostarcza bardzo wiele stresorów, i to codziennie. Wielu z nas żyje więc w stanie permanentnego stresu i tym samym prowokuje organizm do stałej walki. A organizm nie jest do tego biochemicznie przystosowany.

Stała nadprodukcja hormonów stresu i wszystkie reakcje, jakie są później wywoływane, powodują, że:

▸ więcej glukozy stale uwalnianej z glikogenu prowadzi do cukrzycy;

▸ stałe osłabienie limfocytów, a więc i całego układu odpornościowego, skutkuje m.in. łatwością łapania infekcji i gorszym radzeniem sobie z nimi;

▸ praca serca jest stale zaburzona, co skutkuje jego poważnymi chorobami;

▸ ciśnienie krwi stale utrzymuje się na wysokim poziomie;

▸ zaburzona jest praca układu trawiennego;

▸ długotrwałe napięcie mięśni skutkuje bólami;

▸ zaburzenia w funkcjonowaniu układu rozrodczego mogą skutkować kłopotami z zajściem w ciążę oraz zmniejszeniem libido.

To tylko niektóre z efektów permanentnego stresu. Poza tym wpływa on w istotny sposób na nasz odbiór rzeczywistości i nasze zachowania, bo zaburzona jest także praca mózgu i całego układu nerwowego. Stąd biorą się kłopoty z koncentracją, zaburzenia pamięci, nerwowość, migreny, stany lękowe. U wielu pojawia się bezsenność, która niestety jeszcze bardziej nakręca stres. Pojawiają się kompulsywne zachowania, niektórzy ulegają nałogom.

Nieraz słyszałam, że stres szkodzi, ale przyznam, że kiedyś nie przywiązywałam do tego wagi. Znacznie lepiej rozumiałam potrzebę zdrowego odżywiania czy aktywności fizycznej. Ale kiedy czytałam książki z zakresu profilaktyki zdrowotnej, zdobywałam coraz więcej informacji o konkretnym wpływie stresu na poszczególne organy i układy anatomiczne i włos mi się jeżył na głowie. Zdałam sobie sprawę, jak wielkie miałam szczęście, że tak wcześnie trafiłam na matę karate – sportu nie tylko uczącego sztuki samoobrony, lecz także przekazującego adeptowi wiele spokojnej mądrości Wschodu. Dynamiczny ruch w kumite, w którym startuję na zawodach, pozwala mi pozbyć się nadmiaru emocji. Sztuka oddychania i relaksu pomaga mi zredukować napięcie i zresetować umysł i organizm.

Jak sobie pomóc?

Wiele stresorów produkujemy sami. Choćby przez złą organizację codzienności – wystarczy wstać 15 minut wcześniej, by uniknąć porannego pośpiechu. Także przez denerwowanie się w sytuacjach, na które nie mamy wpływu. Jeśli utkniemy w ulicznym korku, traktujmy go jak podarowane minuty: na przemyślenie czegoś ważnego, na posłuchanie muzyki; zdenerwowanie nie przyspieszy akcji na drodze, tylko akcję serca, które mamy jedno na zawsze. Po co wkurzać się na kolejkę w urzędzie, sklepie lub do kasy biletowej – kolejki były i są, więc zamiast denerwować siebie i innych, można wyjąć książkę i czas czekania umilić sobie lekturą dobrego kryminału lub nauką (a wcześniej nastawić się, że prawdopodobnie kolejka będzie długa). To są drobiazgi, ale codzienność składa się właśnie z drobiazgów i jeśli denerwujemy się z byle powodu, to szkodzimy nie tylko sobie, lecz także bliskim i np. współpracownikom. Warto uczciwie ze sobą porozmawiać, przypomnieć sobie, co nas wkurza, i zastanowić się, czy nie tracimy naszych komórek nerwowych zbyt pochopnie.

Oczywiście, są sytuacje naprawdę bardzo trudne: długa opieka nad chorą osobą, przedłużająca się zła sytuacja finansowa, żałoba, rozwód i inne, od których nie sposób się po prostu uwolnić czy udawać, że nie istnieją, by się nie denerwować. Ale i w takich poważnych okolicznościach nie powinno się zapominać o swoim zdrowiu. Żeby przetrwać te prawdziwe dramaty – przeżyć żałobę, dać sobie radę z rozwodem lub spróbować polepszyć stan konta – trzeba dużo siły. Czasem wydaje się, że ona jest, że człowiek w trudnym momencie przeniesie góry. Tak działa adrenalina i inne hormony stresu. Jednak jeśli pozwolimy, by stres działał stale – kortyzol przestanie być pomocą i zamiast dawać siły, zacznie je odbierać. Dlatego ważne jest, by nawet w takich sytuacjach zadbać o regenerację ciała i umysłu. Czasem wystarczy pół godziny relaksu dziennie – tylko takiego prawdziwego, bez telewizji, komputera i innych rozpraszaczy. Pół godziny ze sobą, w ciszy.

Nie unikniemy stresu i nie pozbędziemy się go na stałe, to niemożliwe i niepotrzebne, bo niewielki stres pomaga. Ale starajmy się nie dopuścić, by stres przejął kontrolę nad naszym życiem.

Zadbajmy o dobrą organizację dnia, o dobre relacje z bliskimi. Unikajmy (jeśli to możliwe) ludzi i sytuacji, które powodują nasz dyskomfort. Pomagajmy innym – to pięknie ładuje akumulatory i wprawia w ruch dobrą energię wokół

nas. Nie bierzmy na siebie więcej, niż możemy zrobić, i prośmy o pomoc, gdy to konieczne. Nie oceniajmy innych, a i dla siebie nie bądźmy zbyt surowi. Nie nakręcajmy w sobie złych emocji: zazdrości, zawiści, nienawiści, kompleksów, poczucia winy itd. Starajmy się znajdować w sobie i innych dobre rzeczy i dzielmy się dobrą energią – ona wraca. To są mądrości moich bliskich z rodziny oraz starszych przyjaciół. Uważam je za istotne i wiem, że wcale niełatwo niektóre z nich wprowadzić w życie. Ale wciąż próbuję.

209

NIE BIERZMY NA SIEBIE WIĘCEJ, NIŻ MOŻEMY ZROBIĆ, ALE STARAJMY SIĘ PODNOSIĆ SOBIE POPRZECZKĘ. JEŚLI POTRZEBUJEMY I GDY TO JEST KONIECZNE, PROŚMY O POMOC. NIE OCENIAJMY INNYCH, A I DLA SIEBIE NIE BĄDŹMY ZBYT SUROWI.

3. FILAR ZDROWIA
Sport

Sama dieta zdrowia nie zapewni. To udowodniono wielokrotnie. Wyniki rozlicznych badań przeprowadzonych na całym świecie jasno wskazują, że umiarkowana aktywność fizyczna znacznie pomaga utrzymać organizm w zdrowiu. To zresztą nic nowego – już starożytni doceniali wielką rolę, jaką odgrywa sport.

IM WCZEŚNIEJ, TYM LEPIEJ

Postęp technologiczny pozornie ułatwił nam życie. W krajach cywilizowanych coraz mniej ludzi pracuje fizycznie, wielu na stałe przywiązanych jest do biurek, a w domu – do kanap. Przetworzona żywność powoduje apatię i niechęć do wysiłku fizycznego już u bardzo młodych osób, dlatego rosną liczba zwolnień z lekcji WF i plaga nadwagi, cukrzycy i innych chorób, które kiedyś dotykały dopiero dorosłych.

Mnie nie trzeba namawiać do ćwiczeń, bo mam szczęście – sport uprawiam od dziecka, co wytworzyło we mnie stałą potrzebę ruchu. Dlatego tak mocno namawiam na usportowienie bardzo młodych ludzi. Jeśli wcześnie dostaną szansę na regularne zajęcia ruchowe prowadzone przez doświadczonych ludzi, to:

- rozwiną się bez nadwagi i wad postawy;
- poznają zasady zdrowego współzawodnictwa;
- poznają zasady współdziałania i wzajemnej odpowiedzialności w grupie bądź drużynie;
- szybciej staną się samodzielni;
- nauczą się samodyscypliny;
- być może rozwiną w sobie pasje;
- prawdopodobnie na całe życie zostanie im zdrowa potrzeba ruchu.

Siedzący tryb życia jest groźny. Spowalnia metabolizm, blokuje i usztywnia kręgosłup, usztywnia stawy i mięśnie, jest niebezpieczny dla krążenia krwi i limfy.

W połączeniu z permanentnym stresem tworzy bombę z opóźnionym zapłonem – właściwie gwarantuje nam przyszłe schorzenia, czasem ciężkie.

To nie muszą być zajęcia ruchowe nastawione na przyszłe zawodowstwo sportowe. Nie wszyscy rodzą się z talentem, ale wszyscy mogą już od dziecka poznawać radość płynącą z aktywnego życia. Na szczęście coraz więcej nauczycieli wychowania fizycznego traktuje swój zawód jako prawdziwą pasję. Tym trudniej jest mi zrozumieć łatwość, z jaką rodzice zwalniają swoje pociechy z tych lekcji. Spotkałam kiedyś bardzo młodą dziewczynę, która korzysta z wymuszonych zwolnień z WF-u, bo „wstydzi się nadwagi". Przez brak ruchu jej nadwaga oczywiście się utrzymuje i w ten sposób powstaje błędne koło niemożności.

AKTYWNOŚĆ FIZYCZNĄ MOŻNA ROZWIJAĆ NA WIELE SPOSOBÓW.

To mogą być zorganizowane zajęcia sportowe (jest tyle dyscyplin!) lub treningi w szkole tańca, ale może to być systematyczne aktywne spędzanie czasu z rodzicami. Ja oczywiście najserdeczniej polecam karate tradycyjne jako szkołę nie tylko ruchu, ale w ogóle życia.

KARATE
TRADYCYJNE
SZTUKA ŻYCIA

**Ze statutu Międzynarodowej
Federacji Karate Tradycyjnego:**

Zwycięstwo samo w sobie nie jest
w karate tradycyjnym celem ostatecznym.
Karate tradycyjne jest sztuką samoobrony,
która wykorzystuje wyłącznie i w najbardziej
skuteczny sposób ciało ludzkie. Znajdują w nim
zastosowanie głównie techniki bloków, ciosów,
uderzeń i kopnięć w połączeniu z innymi
wiążącymi się z nimi ruchami.

Poprzez karate tradycyjne człowiek zyskuje
środki do poszerzania i pogłębiania swych
zdolności fizycznych i umysłowych.

Adeptką karate jestem od 15 lat, od 11. roku życia. Treningi od razu stały się codziennością.

Wrosłam w karate całą sobą, bo to nie tylko sport czy sztuka samoobrony. Szacunek dla innych, samokontrola, szczerość – to tylko niektóre z wartości nauczanych przez instruktorów. Szczególna etykieta, stroje i kultura tej dyscypliny stwarzają niepowtarzalny klimat do rozwoju fizycznego i psychicznego. Karate do samoobrony wykorzystuje całe ciało. Obecna technika oparta jest na głębokiej wiedzy o anatomii i mechanice działania ludzkiego organizmu. Dlatego adept karate ma zdrowe, gibkie i zgrabne ciało, którego jest w pełni świadom. Mnie karate ukształtowało jako człowieka, bez wątpienia znacznie wpłynęło na mój charakter i postawy życiowe. Związałam się z karate tradycyjnym jako sportowiec wyczynowy i mam zaszczyt reprezentować Polskę na międzynarodowych zawodach. Nie jestem w stanie wyrazić piękna emocji, które odczuwam, kiedy stoję z medalem na podium i słucham Mazurka Dąbrowskiego.

KARATE TO SZTUKA DLA KAŻDEGO.
MOŻE DLA CIEBIE?
MOŻE DLA TWOJEJ POCIECHY?

PRZEŁAMUJ BARIERY,
CODZIENNIE STAWIAJ SOBIE
NOWE CELE I WYZWANIA

NIE MA CZEGOŚ TAKIEGO, JAK LENISTWO, JEST TYLKO BRAK ODPOWIEDNIEJ MOTYWACJI

TRENUJ!

Jeśli nadal tylko planujesz treningi, to mam dobrą radę: zakończ planowanie i zacznij działać. Przypomnę zalety podjęcia systematycznej umiarkowanej aktywności fizycznej:

- ▶ Znacznie lepsze samopoczucie
- ▶ Wzrost wiary w siebie i zadowolenia z życia
- ▶ Poprawa koncentracji
- ▶ Łatwiejsze zorganizowanie się na co dzień
- ▶ Opóźnienie procesów starzenia
- ▶ Utrata nadwagi i stabilizacja właściwej masy ciała
- ▶ Zwiększenie i utrzymanie dobrej wydolności organizmu
- ▶ Poprawa funkcjonowania organów wewnętrznych
- ▶ Utrzymanie ruchomości stawów
- ▶ Redukcja zagrożeń chorobami cywilizacyjnymi
- ▶ Wzrost siły mięśni
- ▶ Większa odporność na infekcje
- ▶ Obniżenie poziomu stresu
- ▶ Redukcja lęków, mniejsza skłonność do depresji
- ▶ Łatwiejsze porzucenie nałogów

AKTYWNOŚĆ FIZYCZNA JEST NIEZBĘDNA W KAŻDYM WIEKU

Niemało, prawda? A to przecież nie wszystkie korzyści wynikające z aktywności. Człowiek ćwiczący systematycznie ma większą wydolność, więc łatwiej znosi codzienne wysiłki, mniej się męczy i dłużej pozostaje młody. Lepiej też wygląda, ma więc większą pewność siebie, którą pięknie kształtują nawet drobne sukcesy treningowe. Warto dodać, że aktywność fizyczna jest niezbędna w każdym wieku, wszystkim przynosi wymierne korzyści, można się na nią decydować, jak się ma zarówno lat 10, jak i 70.

Popularyzacja zdrowego stylu życia przyniosła już konkretne efekty: grupa ludzi, którzy są świadomi, jak wielki mają wpływ na swoje zdrowie, jest całkiem liczna i stale rośnie. Wielu zamieniło samochód na rower, rzesza ludzi ruszyła do klubów fitness, a bieganie staje się pomału narodowym sportem. Niestety, wciąż zbyt dużo osób dopiero „zbiera się", by zacząć treningi. Wiedzą, że powinny, znają wartość aktywności fizycznej, jednak nie potrafią się ruszyć z kanapy. Z e-maili, które dostaję, wiem, że jednym z powodów jest niechęć do wysiłku. Rzeczywiście, wysiłek powoduje czasem niemiłe odczucia, ale wierzcie mi, te najmniej przyjemne pojawiają się tylko w pierwszych tygodniach treningów, gdy organizm jest jeszcze „surowy". Trzeba po prostu zacisnąć zęby i przetrwać ten czas. Pomaga w tym wyobrażenie sobie PRZED treningiem takiej „złej" chwili i tego, jak sobie z tym radzimy. O mocy wizualizacji pisałam wcześniej. Pomagają też pierwsze sukcesy – kiedy uda się pokonać niechęć i wykonać ćwiczenia, satysfakcja jest ogromna. W pierwszych tygodniach można tak ustawić sobie treningi, by ćwiczeń najmniej przez nas lubianych było niedużo. Jak już organizm się rozrusza, łatwiej zniesie zmagania z tym, co sprawia największy kłopot.

Przełam blokady

Inna i bardzo często występująca przyczyna zaniechania ćwiczeń – to fałszywy wstyd, a właściwie obawa przed opinią innych. Wielu osobom wydaje się, że są krytycznie oceniane przez ludzi na ulicy, w klubie fitness, w parku... Chodzi o wygląd, kondycję, strój. Te obawy są tylko w Twojej głowie! Czy naprawdę sądzisz, że ludzie mijający Cię np. podczas joggingu zajmują się Twoim wyglądem? Zresztą, skoro dla Ciebie jest to tak istotne, masz wspaniałą motywację, by popracować nad własną sylwetką. A więc do roboty! Chyba nie sądzisz, że zgrabni biegacze lub umięśnieni bywalcy klubów fitness zawsze wyglądali tak wspaniale? Oni też kiedyś zaczynali i możesz się zdziwić, bo niejeden z nich będzie Cię dopingował! W e-mailach przewijają się i inne wymówki: brak czasu (odsyłam do komentarza czytelniczki cytowanego w jednym z pierwszych rozdziałów), brak pieniędzy i miejsca do treningów... Trenować w domu lub plenerze można za darmo. I to jest piękne!

Wydolność fizyczna jako cecha organizmu – oznacza zdolność organizmu do wysiłków fizycznych, tolerancję zaburzeń homeostazy wewnątrzustrojowej wywołanej wysiłkiem fizycznym oraz zdolność organizmu do szybkiej ich likwidacji po zakończeniu wysiłku.

Wszyscy już przekonani? To jeszcze tylko kilka zasad, których przestrzeganie sprawi, że sport stanie się dla Ciebie naprawdę radosną przygodą, a nie źródłem kłopotów.

ZRÓB BADANIA

▸ Jeśli jesteś przewlekle chory, przed rozpoczęciem treningów skonsultuj się z lekarzem.

▸ Jeśli jesteś zdrowy, zrób podstawowe badania, warto je robić cyklicznie nie tylko ze względu na aktywność fizyczną.

STOPNIUJ WYSIŁEK

CHCESZ NA STAŁE ZMIENIĆ SWOJE ŻYCIE NA ZDROWE? MASZ MOTYWACJĘ I CHĘCI? ZACZYNASZ DZIAŁAĆ!
RÓB TO SPOKOJNIE.

Twoja determinacja i podekscytowanie mogą żądać więcej, niż Twój organizm jest w stanie od razu wykonać. On potrzebuje czasu na przystosowanie się do nowych warunków. Dotyczy to zwłaszcza osób, które prowadzą siedzący tryb życia.

Wpleć wysiłek w codzienność: zrezygnuj z windy, zamień samochód na rower, pomaszeruj równym szybkim krokiem, zamiast podjechać gdzieś autobusem, lub pospaceruj z psem. Dopiero gdy rozruszasz ciało, podejmij wyzwania treningowe.

Te wyzwania twórz na miarę swoich aktualnych możliwości, ale ambitnie. Jeśli korzystasz z gotowych wzorów,

na przykład próbujesz w domu zrealizować plan ćwiczeń podany przez trenera, staraj się nie poddawać, gdy okaże się, że nie dajesz rady zrobić założonych 20 powtórzeń. Udało się zrobić tylko 7? Super! Zbierz siły i spróbuj zrobić jeszcze dwa. Za kilka tygodni 20 powtórzeń będziesz wykonywać bez problemu. Ale teraz skup się na tym, by te 7 czy 9 powtórzeń zrobić prawidłowo.

Kiedy osiągniesz już wymarzone 20 powtórzeń (to tylko przykład, równie dobrze może to być chęć przebiegnięcia 5 km bez zadyszki) i będziesz je wykonywać podczas kolejnych treningów w niezmienionej liczbie, Twój organizm w pewnym momencie przestanie rozwijać swoją wydolność. Dlatego warto co jakiś czas (inny dla każdego) zwiększać obciążenia i stawiać ciału nowe wyzwania. Można to robić za pomocą zwiększania liczby powtórzeń jakiegoś ćwiczenia lub wykonywania trudniejszych wersji ćwiczeń. Można też wydłużać czas treningu.

Cały czas jednak pamiętaj o bezpieczeństwie – zbyt ambitne wyzwania łatwo doprowadzą do przeciążeń, przetrenowania lub kontuzji. Grozi Ci też zniechęcenie, a przecież sport ma być radosny! Dbaj o to, by nie stał się upiornym mozołem.

ZADBAJ O RÓŻNORODNOŚĆ FORM TRENINGOWYCH

PODSTAWOWY CEL PROPAGOWANEJ PRZEZE MNIE AKTYWNOŚCI FIZYCZNEJ TO UTRZYMANIE ORGANIZMU W ZDROWIU. ZDROWE CIAŁO JEST GIBKIE, ELASTYCZNE, SILNE, MA MOCNĄ TKANKĘ MIĘŚNIOWĄ, WYDOLNY UKŁAD ODDECHOWY, PRAWIDŁOWE KRĄŻENIE ORAZ STAWY Z DUŻYM ZAKRESEM RUCHU.

Jak osiągnąć tak różne efekty?

Różnicując formy treningu – to jedyny sposób. Wydolność oddechowo-krążeniową poprawimy ćwiczeniami aerobowymi, czyli m.in. podczas szybkich marszów, biegania, jazdy na rowerze lub zumby.

Gibkość i elastyczność rozwiniemy, jeśli będziemy dbać o streching, ale też podczas jogi i pilatesu. O siłę i rozwój tkanki mięśniowej możemy się postarać, trenując na siłowni z przyrządami lub wykonując ćwiczenia polegające na pokonywaniu oporu naszego ciała.

Oczywiście, biegacz, jeśli nawet nie robi treningów siłowych, i tak będzie silniejszy od zasiedziałego kanapowca. Ale eksperci od treningów zdrowotnych podkreślają, że zasada wszechstronności ćwiczeń jest dobroczynna dla organizmu. Warto więc w grafik sportowy wpisać różne formy aktywności. To jest korzystne także z innego względu – otóż ciało nie lubi rutyny (a i umysł za nią nie przepada), dlatego jeśli zróżnicujemy treningi, szybciej osiągniemy pożądane efekty, bez znudzenia i z radością.

Trening aerobowy

to trening o niedużej lub średniej intensywności wykonywany przez dłuższy czas. W trakcie takiego treningu mięśnie otrzymują dużo tlenu, co pozwala na pozyskanie energii ze spalania glukozy (z glikogenu w mięśniach). Do takiego treningu należą m.in. bieganie, aerobik, jazda na rowerze. Jeśli w trakcie biegu możesz w miarę swobodnie rozmawiać, to ćwiczysz tlenowo. Efektywny i zdrowy trening aerobowy to taki, w którym tętno utrzymujemy na poziomie 65–80% tętna maksymalnego. Tętno maksymalne wyliczamy ze wzoru: 220 minus wiek.

Trening anaerobowy

bazuje na wysiłku bardzo intensywnym, ale krótkotrwałym. W trakcie ćwiczeń anaerobowych mięśnie wykorzystują energię pozyskaną w procesach beztlenowych, ponieważ krew nie dostarcza ilości tlenu wystarczającej do tak dużego wysiłku. Trening anaerobowy to m.in. ćwiczenia siłowe.

Trening funkcjonalny

skupia się na ćwiczeniach, „które naśladują ruchy wykonywane przez nas w życiu codziennym", mówi Ashley Borden z Los Angeles, trenerka gwiazd i ekspert w dziedzinie fitnessu. „Dotyczy to przysiadów, sięgania, obracania się, podnoszenia przedmiotów z podłogi i unoszenia przedmiotów nad głowę". Trening ten angażuje wiele partii mięśniowych, doskonale poprawia kondycję, przygotowuje organizm zarówno do zdrowego znoszenia codziennych wysiłków, jak i do sportów zawodowych. Cenię go sobie bardzo i jest stałym elementem moich przygotowań do mistrzostw karate. W treningu funkcjonalnym wykorzystuje się głównie ciężar własnego ciała, ale są też ćwiczenia z akcesoriami (sztanga, hantelki, TRX, Rip Trainer, worki bułgarskie, taśmy treningowe, piłki lekarskie, bosu, płotki, worki z piaskiem, drabinki koordynacyjne, oporniki, bodyball, kettlebels itp.).

Trening interwałowy

polega na cyklicznej zmianie intensywności ćwiczeń (np. bieg naprzemiennie z marszem). Duży wysiłek (np. szybki bieg) przeplata się więc z odpoczynkiem (marsz). Trening ten bardzo efektywnie buduje kondycję.

Tabata jest czterominutowym, niezwykle intensywnym treningiem interwałowym. Skąd nazwa? Od nazwiska japońskiego naukowca, który współpracował z narodową ekipą olimpijczyków i właśnie dla nich wymyślił i opracował taki rodzaj treningu.

To trening interdyscyplinarny. Mogą go stosować wszyscy sportowcy oraz amatorzy, który dbają o kondycję lub chcą zrzucić nadwagę. Prawidłowo wykonana tabata poprawia wydolność aerobową (tlenową) i anaerobową (beztlenową). Powinno się wybierać ćwiczenia, które angażują kilka grup mięśni, na pewno nie jest to system do ćwiczeń wyizolowanych.

Zasada jest prosta: robisz tyle powtórzeń jednego ćwiczenia, ile zdołasz przez 20 sekund, następnie masz 10 sekund przerwy. I znów ćwiczysz 20 sekund i 10 sekund odpoczywasz. I tak 8 razy. Podstawowy warunek prawidłowej tabaty: **dajesz z siebie wszystko**. Spalasz więcej niż w trakcie zwykłego treningu, bo jeszcze po zakończeniu ćwiczeń przerabiasz kwasy tłuszczowe. Można trenować tym systemem, wykonując jedno ćwiczenie, można też zastosować wariant, który ja zwykle proponuję, czyli sprint w miejscu, 6 różnych ćwiczeń i znów sprint.

Trening stabilizacyjny opiera się na wykorzystywaniu mięśni

głębokich kręgosłupa. Jest konieczny do wzmocnienia mięśni otulających tułów od barków do miednicy. Nie wszyscy zdają sobie sprawę z tego, że prawidłowość działania tych mięśni wpływa na koordynację kończyn górnych i dolnych. Jeśli będziesz systematycznie ćwiczyć, unikniesz bólów kręgosłupa lub je znacznie zmniejszysz. Poza tym trening stabilizacyjny wzmacnia mięśnie brzucha. Jego celem jest także wzmocnienie osłabionych mięśni i korekcja postawy. Po przebytych urazach trening stabilizacyjny jest niezwykle istotny.

2.

1.

Trenuj systematycznie

W CZASIE TRENINGU W ORGANIZMIE ZACHODZĄ REAKCJE POZWALAJĄCE PRZYSTOSOWAĆ GO DO WYSIŁKU ORAZ ZWIĘKSZAJĄCE JEGO WYDOLNOŚĆ.

Zmiany wywołane tymi reakcjami nie trwają jednak długo. Sportowiec, który trenuje raz w tygodniu lub rzadziej, każe organizmowi wykonywać tę samą pracę za każdym razem od początku. Dlatego nie uzyskuje pożądanych efektów – lepszej kondycji, utraty nadwagi, poprawy wydolności oddechowej itd.

Powinniśmy być aktywni 3 razy w tygodniu. To nie muszą być za każdym razem długie i wyczerpujące treningi. Ale ciało powinno dostawać jakieś sportowe zadania do wykonania, by na zmiany z jednego treningu mogło nałożyć kolejne, co pozwoli mu zwiększyć wydolność, siłę, gibkość itd.

UWAGA: pomiędzy treningami ciało musi odpocząć, nie przesadź więc w drugą stronę, ćwicząc zbyt często. Daj sobie czas na odnowę biologiczną.

ZADBAJ O SWOJE BEZPIECZEŃSTWO

Bezpieczny trening to taki, który zawiera wszystkie poniższe etapy:

▶ rozgrzewka i stretching;
▶ trening główny;
▶ stretching;
▶ regeneracja.

Rozgrzewkę rób przed każdym treningiem, bez względu na jego rodzaj. Ta część treningu pozwala podnieść temperaturę mięśni, rozluźnić je i przygotować do wysiłku. Zapobiega to kontuzjom, ale też znacznie ułatwia wykonanie części zasadniczej treningu.

Podczas rozgrzewki staraj się rozruszać wszystkie główne grupy mięśni, robiąc ćwiczenia od góry do dołu.

CZĘŚĆ DYNAMICZNA ROZGRZEWKI:

▶ marsz w miejscu z unoszeniem kolan;

▶ sprint w miejscu;

▶ przekładanka;

▶ kilka przysiadów;

▶ trucht z krążeniami ramion;

▶ kilka pajacyków / podskoki / przeskoki obunóż;

▶ wykroki z wymachem ramion w bok.

CZĘŚĆ STATYCZNA ROZGRZEWKI (STRETCHING):

▶ krążenie szyi, ramion, przedramion, bioder, podudzi, stóp (staw skokowy);

▶ spokojne wymachy ramion w bok, z pogłębieniem aż do złączenia łopatek;

▶ skręty tułowia z rękami na biodrach;

▶ skłony z rozciąganiem tylnych mięśni ud;

▶ stopa przytrzymana na pośladku (rozciąganie przednich mięśni ud);

▶ skłony w bok (rozciąganie mięśni bocznych);

▶ unoszenie się na palcach naprzemiennie z oparciem stóp tylko na piętach i unoszeniem palców stóp (rozciąganie łydek).

Rozciągaj mięśnie, aż wyczujesz ich naprężenie, i przytrzymaj w tej pozycji **30 SEKUND** (oddychaj w tym czasie!).

Zadbaj o wygodny **strój** i odpowiednie **obuwie**.

Trening główny – bez względu na jego rodzaj – wykonuj uważnie. Lepiej zrobić mniej powtórzeń ćwiczenia, ale prawidłowo, niż wiele byle jak. Zadbaj o prawidłową postawę całego ciała podczas ćwiczeń, biegania czy jazdy na rowerze.

231

Zanim zaczniesz robić ćwiczenia, poznaj technikę ich wykonania. Błędy prowadzą do kontuzji, a utrwalone błędy trudno wyeliminować.

Po treningu zasadniczym znów **porozciągaj** ciało, ale rób to w momencie, gdy mięśnie są jeszcze rozgrzane!

Przez cały trening zwracaj uwagę na prawidłowy **oddech**. Powinien być równomierny, skoordynowany z ruchami ciała. Nie wstrzymuj oddechu w żadnej sytuacji. Wydech rób przy spinaniu mięśni, wdech – przy rozluźnianiu.

PIJ WODĘ PODCZAS I PO TRENINGU.

Po treningu **pozwól organizmowi się zregenerować:** nie obciążaj się zbyt szybko kolejnym wysiłkiem. W tym czasie zadbaj o wypoczynek i higienę oraz dostarczaj w pożywieniu wszystkie niezbędne do odbudowy składniki.

Korzystaj z przyrządów

Akcesoria treningowe nie są niezbędne, ale pozwalają na większe urozmaicenie treningów i pomagają w nauce niektórych rodzajów ćwiczeń. Warto więc stopniowo zbudować sobie domowy zestaw fitness. Co się przyda:

▸ **Hantle** – możesz je zastąpić butelkami wody.

▸ **Piłka lekarska** – ćwiczenia z nią możesz wykonywać na każdą partię mięśni. Ja uwielbiam ćwiczenia na brzuch i ramiona. Piłki lekarskie mają różne rozmiary i ciężar.

▸ **Piłka gimnastyczna** – duża dmuchana piłka, pomaga w rozciąganiu, jest idealna dla kobiet w ciąży. Używam jej do ćwiczeń stabilizacyjnych.

▸ **Taśmy treningowe** – jeden z moich ulubionych sprzętów do ćwiczeń. Kiedy idę biegać, zabieram je ze sobą, aby wykonać krótki wzmacniający trening w terenie. Taśmy można kupić w rożnych kolorach i długościach, które odpowiadają za poziom napięcia (siły) gumy. Ćwiczenia z taśmami wzmacniają mięśnie i rozwijają ich siłę. Oczywiście taśmy są doskonałe do stretchingu. Można je kupić w sklepie na moim blogu.

▸ **Skakanka** – doskonałe narzędzie do treningu aerobowego. Obecne skakanki wyposażone są w specjalne dodatki, takie jak regulator długości, dodatkowe obciążniki, licznik podskoków i spalonych kalorii. Ćwiczenia ze skakanką pozwalają rozwinąć mięśnie nóg, od pośladków zaczynając, a na łydkach kończąc. Skacząc, wzmacniamy więzadła stawów, poprawiamy kondycję i usprawniamy krążenie.

ZADBAJ O PRZYJEMNOŚĆ

Tak, trening powinien sprawiać przyjemność.
Może nie od razu, ale przecież zakładamy,
że sport wpisujemy na stałe w nasze życie, więc
wybierajmy takie formy aktywności, jakie lubimy.
Na szczęście jest w czym wybierać!

Profesjonalna odnowa biologiczna

AKTYWNOŚĆ FIZYCZNA, NAWET UMIARKOWANA, TO RODZAJ PROCESU, KTÓREMU PODDAJEMY NASZE CIAŁO I PSYCHIKĘ. STAŁYM I BARDZO WAŻNYM ELEMENTEM TEGO PROCESU POWINNA BYĆ ODNOWA BIOLOGICZNA.

O kilka zdań na ten temat poprosiłam eksperta **Grzegorza Żeleźnika** – byłego fizjoterapeutę niemieckiej drużyny Schalke oraz polskiej reprezentacji narodowej w piłkę nożną. Grzegorz Żeleźnik posiada obecnie własną klinikę w Gelsenkirchen Buer.

Efektywna regeneracja powysiłkowa

Nikogo nie trzeba specjalnie przekonywać, że odnowa biologiczna jest dla sportowców równie istotna jak sam trening. Należy jednak zwrócić uwagę na jakość, program oraz standardy kompleksowej regeneracji powysiłkowej, ponieważ w znacznej mierze to właśnie od niej zależą wyniki sportowe oraz kondycja psychofizyczna zawodnika.

Doładowanie akumulatorów

Odnowa biologiczna pozwala „doładować akumulatory" organizmu, ponieważ optymalizuje przygotowania do cyklu treningowego oraz wzmożonego wysiłku fizycznego podczas zawodów. Na wstępie należy zwrócić uwagę na to, że bardzo ważnym elementem profesjonalnej odnowy biologicznej i regeneracji jest zbilansowany i racjonalny program dietetyczny, który błyskawicznie wyrównuje deficyty energii, dostarcza cennych składników odżywczych oraz przede wszystkim skutecznie odkwasza organizm.

Wróćmy jednak do zagadnienia odnowy biologicznej rozpatrywanego z fizjologicznego punktu widzenia.

Odnowa aktywna i pasywna

Odnowa biologiczna – jak każda dziedzina naukowa – podlega klasyfikacji. Jedną z najbardziej ogólnych klasyfikacji jest podział na regenerację aktywną i pasywną (w tym – jej najistotniejszy element, czyli SEN).

REGENERCJA AKTYWNA

→ ROZGRZEWKA

W moim przekonaniu do podstawowych elementów aktywnej regeneracji powysiłkowej należą same komponenty treningu sportowego, takie jak lekki rozruch, podstawowe ćwiczenia aerobowe oraz stretching, czyli rozciąganie poszczególnych grup mięśniowych.

Wszystkie wymienione ćwiczenia stanowią podstawę rozgrzewki, niezależnie od trenowanej dyscypliny i poziomu zaawansowania samego zawodnika.

Komponenty rozsądnego „warm-up" detonizują napięcie mięśniowe, poprawiają ogólną ruchowość oraz efektywnie niwelują napięcie, a tym samym zapewniają relaksację centralnego układu nerwowego.

→ STRETCHING

W przypadku bardzo intensywnego treningu, który mocno angażuje mięśnie, wzrasta ryzyko zakwaszenia mięśni (zwłaszcza po dłuższej przerwie w ćwiczeniach). W tej sytuacji należy zrezygnować z dynamicznego stretchingu.

DLACZEGO? Jedna z teorii o zakwasach mówi, że powstają one wskutek mikroskopijnych uszkodzeń włókien mięśniowych, wiec intensywny stretching może tylko pogorszyć sytuację.

REGENERACJA PASYWNA

Do pasywnych form odnowy biologicznej zaliczamy przede wszystkim:

▸ zbilansowaną dietę, która w efektywny sposób uzupełnia deficyty energii i dostarcza organizmowi komplet ważnych składników odżywczych;

▸ odpowiednią gospodarkę wodną organizmu;

▸ zdrowy sen w ergonomicznej pozycji;

▸ wszelkie formy fizjoterapii regeneracyjnej – masaż, pasywne rozciąganie, stosowanie zabiegów z zimnem i ciepłem, saunę itp.

Większe zapotrzebowanie na odnowę

Współczesny sport opiera się przede wszystkim na atletyzmie i doskonałym przygotowaniu fizycznym, w związku z czym intensywność programów treningowych oraz samych zawodów w wielu dyscyplinach jest coraz większa. Co za tym idzie, do odnowy biologicznej zawodników przywiązuje się ogromną wagę, ponieważ bez szybkiej i skutecznej regeneracji:

▸ wzrasta ryzyko kontuzji;

▸ maleje wydolność.

PRZYKŁADY TRENINGÓW

Treningi te wpływają na poprawę siły, kondycji, sprawności
i lepsze funkcjonowanie w życiu codziennym.

Wszystkie treningi składają się
z 8–10 ćwiczeń. Proponuję każdą serię
powtórzyć trzy razy, a pomiędzy
seriami wykonać minutowe ćwiczenie
cardio, np. sprint w miejscu, z wysokim
unoszeniem kolan (pamiętaj o pracy
ramion) lub sprint z boksowaniem.

Proponuję Ci trzy treningi:

❶ wzmacniający
mięśnie brzucha
(z użyciem piłki lekarskiej);

❷ z hantelkami;

❸ wzmacniający z obciążeniem
własnego ciała.

Trening 1

Rozgrzewka i stretching

wzmacniający mięśnie brzucha

(z użyciem piłki lekarskiej)

Trening zasadniczy – ćwiczenia:

I. **KLASYCZNE SPIĘCIA BRZUCHA.** Pozycja wyjściowa: w leżeniu, nogi
w rozkroku, ugięte pod kątem 45 stopni. Dłonie przy skroniach,
łokcie maksymalnie odwiedzione. Unosimy łopatki siłą mięśni
brzucha, nie popychając głowy do przodu. **30 SEKUND**.

2. **PRZENOSZENIE PIŁKI LEKARSKIEJ W LEŻENIU.** Pozycja wyjściowa: w leżeniu na plecach unosimy złączone i proste nogi lekko nad podłogę. Palce stóp obciągnięte, wyprostowane ramiona za głową, dłonie obejmują piłkę lekarską. Jednocześnie przyciągamy kolana do klatki piersiowej i unosimy łopatki, przenosząc piłkę na podudzia, (jak na zdjęciu). Stopy aktywne, palce zadarte. Powrót. **30 SEKUND**.

237

3. **RUSSIAN TWIST – PRZENOSZENIE PIŁKI PO SKOSIE.** Pozycja wyjściowa: siad prosty, lekko ugięte nogi w rozkroku, plecy proste. Kładziemy piłkę lekarską z lewej strony bioder i przenosimy ją na drugą stronę, unosząc ramiona do góry (jak na zdjęciu). Plecy cały czas proste, brzuch aktywny. **30 SEKUND**. Zmieniamy stronę.

4. **NOGI PROSTE, PRAWA RĘKA – LEWA NOGA.** Pozycja wyjściowa: leżenie na plecach. Proste złączone nogi unosimy do góry do kąta 90 stopni, stopy aktywne – pięty wypychamy do góry; dłonie przy skroniach, łokcie odwiedzione. Nie obciążamy odcinka szyjnego, podtrzymujemy głowę, unosimy łopatki, sięgając lewą ręką do prawej stopy, następnie zmieniamy stronę. Pracują mięśnie brzucha, także skośne. **30 SEKUND**. Pamiętaj, aby odcinek lędźwiowy przylegał do podłoża.

5. **SPIĘCIA BRZUCHA Z PIŁKĄ LEKARSKĄ.** Pozycja wyjściowa: leżenie na plecach, dłonie przy skroniach, łokcie odwiedzione, między kolanami piłka lekarska; stopy razem, lekko uniesione nad podłoże. Wykonujemy spięcie, unosząc łopatki, a kolana z piłką kierujemy do klatki piersiowej. **30 SEKUND**.

6. **NOŻYCE PIONOWE.** Pozycja wyjściowa: w podporze na łokciach, proste nogi kilka centymetrów nad podłożem, palce obciągnięte. Wykonujemy pionowe nożyce przez **30 SEKUND**.

7. **POZYCJA DESKA (PLANK).** Podpór przodem na łokciach. Proste nogi w lekkim rozkroku opierają się na palcach stóp. Plecy proste, plecy-pośladki-nogi tworzą jedną płaszczyznę. Brzuch aktywny. Wytrzymujemy w pozycji deski **1 MINUTĘ**.

8. **SPIĘCIA BRZUCHA: ŁOKIEĆ–KOLANO.** Pozycja wyjściowa: leżenie na plecach, dłonie przy skroniach, łokcie odwiedzione. Nogi w lekkim rozkroku, jedna wyprostowana pod kątem 35 stopni do podłoża, (jak na zdjęciu). Unosimy łopatki, kierując klatkę piersiową po skosie do kolana uniesionej nogi. Powrót. **30 SEKUND** na każdą stronę.

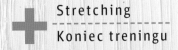

Stretching
- - - - - - - - - - - - - - - - - -
Koniec treningu

Trening 2

Rozgrzewka i stretching

Trening zasadniczy – ćwiczenia:

1. **ROZPIĘTKI Z HANTELKAMI.**
Pozycja wyjściowa: stoimy prosto w rozkroku (jak na zdjęciu). Lekko uginamy kolana, wykonujemy lekki skłon, łącząc dłonie z ciężarkami. Ramiona zgięte w łokciach unosimy powoli do linii barków w taki sposób, by tworzyły jedną poziomą płaszczyznę, a łokcie były ugięte pod kątem 90 stopni. Brzuch aktywny. **30 SEKUND**.

2. **UDERZENIA W BOK Z CIĘŻARKAMI.** Pozycja wyjściowa: stajemy w lekkim rozkroku, ramiona ugięte w stawie łokciowym, dłonie z ciężarkami przy klatce piersiowej. Wykonujemy energiczne uderzenie z wyprostem ramienia i skrętem tułowia (jak na zdjęciu). Następnie druga strona. Brzuch aktywny. **30 SEKUND**.

240

3. **PRZYSIAD (SQUAT) Z HANTLAMI.** Pozycja wyjściowa: stoimy prosto w lekkim rozkroku, brzuch aktywny, plecy proste. Uginamy nogi do przysiadu, trzymając nadal proste plecy i aktywny brzuch. **30 SEKUND**. Pamiętaj, by kolana podczas wykonywanego przysiadu nie wychodziły poza linię stóp.

4. **UNOSZENIE RAMION Z HANTLAMI.** Pozycja wyjściowa: stoimy prosto w lekkim rozkroku, dłonie z hantlami złączone na dole. Brzuch aktywny, plecy proste. Unosimy powoli ramiona do linii barków, zginając je w stawie łokciowym (jak na zdjęciu). Powrót. **30 SEKUND**.

241

5. **WYKROKI W TYŁ Z HANTLAMI.** Pozycja wyjściowa: stań prosto w lekkim rozkroku, ramiona wzdłuż tułowia, hantle w dłoniach. Wykonuj energiczny wykrok w tył, trzymając aktywny brzuch i proste plecy, przednia noga z kolanem ugiętym pod kątem 90 stopni, kolano tylnej nogi kilka centymetrów nad podłożem. Jednocześnie zginaj ramiona w stawie łokciowym, unosząc ciężarki tak, by pracował biceps. Trzymaj proste plecy i aktywny brzuch. Powrót, zmiana nogi. **30 SEKUND**.

6. **ĆWICZENIE NA POŚLADKI Z CIĘŻARKIEM.** Pozycja wyjściowa: klęk podparty, między podudziem a udem umieszczamy ciężarek. Unosimy nogę z ciężarkiem (jak na zdjęciu) i wykonujemy ruch pulsacyjny góra–dół. Palce stopy zadarte, pięta wypchnięta. Brzuch aktywny, plecy proste. Powrót do klęku, zmiana nogi. **30 SEKUND**.

7. **LUNGE Z UDERZENIEM PROSTYM Z HANTELKAMI.** Pozycja wyjściowa: stań prosto, lekki rozkrok, ręce blisko tułowia, ugięte w łokciach. Robimy wykrok do przodu, wykonując przysiad; kolano nogi wykrocznej nie wychodzi poza linię palców stóp; kolano nogi zakrocznej nie dotyka podłoża; ciężar ciała przenosimy na piętę nogi wykrocznej. Wracamy do pozycji wyjściowej (powrót w górę), energicznie wyprowadzamy uderzenie, tzw. punch, trzymając hantle w dłoniach (jak na zdjęciu). Zmiana strony. **30 SEKUND** na każdą stronę.

243

8. **PODPÓR Z CIĘŻARKAMI.** Pozycja wyjściowa: podpór przodem na ramionach z ciężarkami (jak na zdjęciu), plecy proste, brzuch aktywny, pośladki w jednej linii z plecami i nogami; nogi w lekkim rozkroku opierają się na palcach stóp. Energicznie unosimy ramię zgięte w łokciu (jak na zdjęciu). Powrót. Zmiana strony. **1 MINUTA**.

9. **WYCISKANIE W SIADZIE.** Pozycja wyjściowa: siad prosty, nogi w lekkim rozkroku ugninamy w kolanach (jak na zdjęciu), ramiona wyprostowane do przodu utrzymujemy na wysokości barków. Nie zmieniając płaszczyzny poziomej ramion, uginamy je powoli i przenosimy łokcie jak najdalej do tyłu. Plecy proste, brzuch aktywny. **1 MINUTA**.

10. **TRICEPS W PÓŁPRZYSIADZIE.** Pozycja wyjściowa: stajemy prosto w lekkim rozkroku, ciężarki w dłoniach, robimy lekki wykrok z ugięciem nóg w stawie kolanowym (jak na zdjęciu). Pozostając w tej pozycji, unosimy proste ramiona z ciężarkami. Powoli uginamy ręce w łokciach, przenosząc ciężarki za głowę. Łokcie pozostają nieruchomo, blisko głowy. Powrót do wyprostowanych ramion. **30 SEKUND**, zmiana nogi wykrocznej i **30 SEKUND**.

II. **RÓWNOWAŻNIA Z CIĘŻARKAMI.** Pozycja wyjściowa: ze stania przechodzimy do pozycji równoważnej (jak na zdjęciu) – plecy proste, brzuch aktywny, palce uniesionej nogi zadarte, plecy i uniesiona noga w jednej linii, dłonie z ciężarkami opuszczone. Unosimy powoli łokcie. Powrót. **30 SEKUND**, zmiana nogi i znów **30 SEKUND**.

Stretching

Koniec treningu

Trening 3

Rozgrzewka i stretching

Trening zasadniczy – ćwiczenia:

1. **PRZYSIAD I WYSKOK W GÓRĘ.** Jeśli ktoś ma problemy z kolanami, proponuję wykonać przysiad, a następnie wspięcie na palcach i napięcie pośladków. **20 RAZY**.

2. **PRZYSIAD (SQUAT) Z KOPNIĘCIEM W PRZÓD.** Pozycja wyjściowa: stajemy w lekkim rozkroku, uginamy nogi w kolanach do przysiadu. Ręce ugięte w łokciach, pięści złączone (jak na zdjęciu), plecy proste. Robimy energiczny wykop aż do wyprostu nogi, trzymając proste plecy. **20 RAZY NA KAŻDĄ NOGĘ**.

2. **LUNGE Z UDERZENIEM PROSTYM.** Pozycja wyjściowa: stoimy prosto, lekki rozkrok, ręce blisko tułowia, ugięte w łokciach. Robimy wykrok do przodu, wykonując przysiad; kolano nogi wykrocznej nie wychodzi poza linię palców stóp; kolano nogi zakrocznej nie dotyka podłoża; ciężar ciała przenosimy na piętę nogi wykrocznej. Wracając do pozycji wyjściowej (powrót w górę), energicznie wyprowadzamy uderzenie, tzw. punch (jak na zdjęciu). Zmiana strony. **30 SEKUND NA KAŻDĄ STRONĘ.**

247

4. **MARSZ NA PRZEDRAMIONACH.** Pozycja wyjściowa: podpór przodem na przedramionach. Plecy proste, pośladki nie wystają w górę ani w dół, nogi proste, brzuch aktywny. Maszerujemy na przedramionach do przodu. **20 RUCHÓW.**

5. **BRZUCHY SKOŚNE Z BOKSOWANIEM.** Pozycja wyjściowa: leżenie tyłem, nogi ugięte w stawie kolanowym pod kątem 45 stopni, w lekkim rozkroku. Unosimy górną część ciała, trzymając proste plecy i wyrzucając kolejno raz lewe, raz prawe ramię. **20 RAZY NA KAŻDĄ STRONĘ**.

6. **TRICEPS W PODPORZE TYŁEM.** Pozycja wyjściowa: podpór tyłem na prostych ramionach, nogi na szerokość bioder, ugięte w stawie kolanowym pod kątem 90 stopni. Stopę jednej nogi kładziemy na kolanie drugiej. Uginamy łokcie, nie siadając na podłożu. Powrót. **20 RAZY NA KAŻDĄ STRONĘ**.

7. **UNOSZENIE NÓG W LEŻENIU.** Pozycja wyjściowa: leżenie na plecach, ręce wzdłuż tułowia. Unosimy proste złączone nogi aż do pionu. Możemy unieść lekko biodra do góry. Wracamy do pozycji wyjściowej, nie dotykając stopami podłoża. Wykonujemy ćwiczenie w wolnym tempie. **20 RAZY**.

8. **SKOŚNE SPIĘCIA BRZUCHA.** Pozycja wyjściowa: leżenie na plecach, dłonie przy skroniach, łokcie odwiedzione. Unosimy łopatki, kierując lewy łokieć do unoszonego jednocześnie prawego kolana. Drugą nogę unosimy nad podłożem (jak na zdjęciu). **20 RAZY NA KAŻDĄ STRONĘ**.

9. **WYKOPY W PODPORZE.** Pozycja wyjściowa: klęk podparty na lekko ugiętych ramionach, plecy proste, brzuch aktywny. Robimy wykopy (jak na zdjęciu). **20 RAZY NA KAŻDĄ NOGĘ**.

10. **ĆWICZENIA GRZBIETU.** Pozycja wyjściowa: w leżeniu przodem unosimy jak najwyżej proste ramiona i nogi (jak na zdjęciu). Osoby, które mają problem z odcinkiem lędźwiowym, zostawiają nogi na ziemi. Trzymając pozycję, robimy kolejno wymachy ramion w kierunku bioder. **20 RAZY**.

Stretching
Koniec treningu

BIEGAMY!!!

NIEZMIERNIE SIĘ CIESZĘ, KIEDY W PARKACH I NA ULICACH WIDZĘ CORAZ WIĘCEJ BIEGACZY. SĄ W RÓŻNYM WIEKU, RÓŻNEJ TUSZY, ALE TRENUJĄ Z TAKIM SAMYM ZAANGAŻOWANIEM.

Mam nadzieję, że niebawem bieganie stanie się dla wielu odruchową czynnością, jak choćby mycie zębów – ot, kolejna rzecz, którą robimy dla higieny ☺. Ponieważ moja książka jest skierowana przede wszystkim do osób, które dopiero wchodzą w zdrowy tryb życia, zaprosiłam Pawła Januszewskiego – znanego lekkoatletę i prezesa Fundacji Bieganie – żeby powiedział, co robić, by bieganie było codzienną przygodą, a nie udręką. Jestem pewna, że lektura tego tekstu zachęci wielu z Was do joggingu ☺.

ZACZYNAMY

PIERWSZE KROKI BIEGACZA (CZY TEŻ, BY UŻYĆ BARDZIEJ BIEGOWEGO NAZEWNICTWA – START) BUDZĄ WIELE WĄTPLIWOŚCI I PYTAŃ.

W kategorii wątpliwości pojawią się z pewnością słyszane po wielekroć: „Czy dam radę?", „To już nie dla osób w moim wieku...". Ale tego rodzaju rozterki należałoby raczej wrzucić do kategorii „wymówki". Bo biegać każdy może! Wystarczy tylko poznać odpowiedź na pytanie: jak zacząć? No właśnie...

Gdzie?

Gdzie kto lubi i jak mu wygodnie. Nie ma reguł, rządzą upodobania. Najzdrowiej biegać po „miękkim" – trawie, gruntowych ścieżkach, leśnych duktach. Ale nie każdy ma takie tereny w miejscu zamieszkania. Mieszkańcy miast częściej mają dostęp do tras utwardzonych. Najtwardszą z twardych nawierzchni są kostka brukowa i betonowe płyty chodnikowe. Wbrew powszechnej opinii najlepszą nawierzchnią z twardych jest asfalt. Bieganie po tak utwardzonych podłożach nie zrobi nam krzywdy, jeśli trasy biegowe będą w miarę możliwości zróżnicowane. Starajmy się więc, by te twarde podłoża stanowiły jak najmniejszy procent wybranych przez nas tras.

W wyjątkowo mroźne lub deszczowe dni rozwiązaniem może być bieżnia mechaniczna z regulowaną częstotliwością i kątem nachylenia.

Kiedy?

Lepiej rano czy popołudniami? Zaraz po przebudzeniu czy na koniec dnia? Odpowiedzi jest tyle, ilu biegaczy. Organizmowi jednak nie jest wszystko jedno. Kiedy biegamy rano, na czczo, nasz organizm zużywa zgromadzone zapasy tłuszczu, nie zaś energię dostarczoną wraz z ostatnim posiłkiem.

Wyboru każdy musi dokonać sam, uwzględniając własne potrzeby, możliwości i założone cele. Najtrafniejszym wyborem będzie jednak ten, który pozwoli na regularne treningi i nie będzie narażał biegacza na wieczne szukanie wykrętów w stylu: „nie zdążyłem", „dziś nie miałem czasu" itd., itp.

Dopasuj plan treningów do rytmu dnia: godzin pracy, odbioru dzieci ze szkoły czy innych ważnych obowiązków. Jeśli nie jesteś rannym ptaszkiem, biegaj

BIEGAĆ KAŻDY MOŻE!
WYSTARCZY TYLKO POZNAĆ
ODPOWIEDŹ NA PYTANIE:
JAK ZACZĄĆ?

wieczorami, ale wystrzegaj się pułapki, jaką są zmęczenie po całym dniu pracy i spowodowany tym brak sił (a może tylko lenistwo?). Grunt do dobra organizacja. Rozsądny i realny plan na kilka dni pozwoli unikać sytuacji, które dadzą Ci pretekst, żeby odpuścić trening.

W czym?

ODPOWIEDŹ NA TO PYTANIE OGRANICZYMY DO OBUWIA. DOBRE BUTY DO BIEGANIA TO TAKIE, KTÓRE W BIEGANIU NIE PRZESZKADZAJĄ I ZAPEWNIAJĄ NAM KOMFORT.

Najlepiej wybrać buty, które można przed zakupem przetestować – dobre sklepy dają taką możliwość. Pamiętajmy, że buty do biegania powinny być o pół centymetra za duże, bo noga przemieszcza się do przodu. Żeby dokonać dobrego wyboru, trzeba znać odpowiedź na pytania: ile ważę, jak długie trasy zamierzam pokonywać, po jakich nawierzchniach? Buty dzielimy na szosowe (mniejsza waga) – do biegania po chodnikach, asfalcie, kostce; oraz trailowe (agresywny bieżnik) – do biegania po terenie naturalnym. Obuwie dla biegaczy dzieli się też ze względu na sposób stawiania stopy. Wyróżnia się trzy typy: pronacja – stopa obraca się do wnętrza; neutral – równomierne przetaczanie od pięty do palców; supinacja – nadmierne obciążanie zewnętrznej części stopy.

Jak?

ODPOWIADAMY: SPOKOJNIE! PAMIĘTAJĄC O TYM, KIM JESTEM, CZYLI BRAĆ POD UWAGĘ CZYNNIKI TAKIE, JAK: WIEK, PŁEĆ, WAGA, STAN ZDROWIA, DOTYCHCZASOWY TRYB ŻYCIA.

Spokojnie, czyli tak, aby chęci nie przerosły obecnych możliwości twojego organizmu. Bądź dla niego wyrozumiały. Jeśli przez większość swojego życia prowadziłeś siedzący tryb życia, a i nie miałeś wiele wspólnego z jakąkolwiek formą aktywności fizycznej, nie oczekuj, że nagle pofruniesz. Początek raczej nie będzie łatwy. Przygotuj się na to, że podczas pierwszych treningów będą Ci towarzyszyć zmęczenie, zadyszka i bolesne mięśnie (tzw. zakwasy). Ale to jeszcze nie powód, żeby się poddać. Bądź pewien, że jeśli na samym początku nie zniechęcisz swojego organizmu, forsując go nadmiernie (z chęci osiągnięcia szybkich efektów), on odpłaci ci coraz lepszymi możliwościami i stopniową adaptacją do podejmowanego wysiłku.

Zanim ruszysz do biegu, zacznij od najbardziej naturalnej formy ruchu, jaką jest chód. To nie żart. Zaczynamy od marszu i radzimy się nie spieszyć. Bo mówimy

„Ludzie, którzy nie biegają regularnie, częściej rezygnują"

– mówi **Jeff Galloway**, amerykański biegacz i trener.

tu o dojściu (dobiegnięciu) do swojego własnego mistrzostwa – to cel, do którego trzeba być solidnie przygotowanym. Ten cel dla każdego może być inny: przebiegnięcie piątki, dychy czy maratonu. Jeśli ruszymy do tego celu bez odpowiedniego przygotowania, metą naszych wysiłków może stać się kontuzja lub trwałe zniechęcenie do sportu. W końcu to żadna przyjemność: biec przez 10 kilometrów z kolką w boku i językiem na brodzie, prawda?

Pierwszy sukces już osiągnąłeś – ruszyłeś się z domu. Czas na kolejny etap: marszobieg, czyli marsz na przemian z biegiem. W jakich proporcjach? Rób tyle, ile możesz. Staraj się czerpać przyjemność z ruchu, nie usztywniaj się, pamiętaj o spokojnym oddychaniu w rytmie własnego ciała. Nie próbuj z nim rywalizować, niczego mu nie narzucaj. Jeśli czujesz się zbyt zmęczony, powiedz sobie: „Wystarczy na dziś. Przecież jutro też jest dzień". Nie będzie to oznaczać, że się poddajesz, ale że racjonalnie realizujesz plan treningu. Z dnia na dzień będziesz czuć się coraz mocniejszy, a endorfiny pompowane do Twojej krwi podczas biegania sprawią, że nabierzesz ochoty na następny trening. Możesz zacząć tak: 5 minut marszu + 1 minuta biegu. Powtórz ten cykl 3 razy.

Dałeś radę? W takim razie w kolejnym tygodniu zwiększ obciążenie treningowe. Brzmi poważnie, ale to nic wielkiego. Zacznij od 5 minut marszu, potem 3 minuty biegu. Kolejny tydzień: 5 minut marszu + 4 minuty odpoczynku, i tak dalej. W sumie od 20 do 30 minut ruchu. Codziennie? Pewnie myślisz, że co za dużo, to niezdrowo... Wystarczą 2–3 treningi w tygodniu. Istotnym elementem tego procesu jest odpoczynek, kiedy to organizm się odbudowuje, regeneruje siły. Bez niego proces treningowy nie będzie efektywny.

257

KOLEJNY SUKCES ZA TOBĄ

Trenujesz z głową, a Twój organizm ma się coraz lepiej. Z pewnością w głowie zaczną Ci się pojawiać myśli o przebiegnięciu półmaratonu, ale wtedy od razu pomyśl o tej strasznej kolce i języku na brodzie! Na szybkie bieganie przyjdzie jeszcze czas. Zadanie na teraz: dobrze przepracować okres przygotowawczy.

Bieganie w pierwszym zakresie intensywności

Gdy jesteś już w stanie wykonać bieg ciągły, to znaczy, że biegasz w pierwszym zakresie intensywności. Nazwa tej kategorii może brzmieć nieco naukowo, ale chodzi po prostu o spokojny bieg w tempie 7–9 minut na kilometr, podczas którego możesz swobodnie prowadzić rozmowę. To solidna baza do dalszego budowania formy biegowej. Na tym etapie warto korzystać z rad trenerów, zdecydowanie odradzam natomiast plany treningowe dostępne w internecie. Powtarzam to jak mantrę: każdy z nas jest inny, ma inną historię biegową, inny organizm i wcale niekoniecznie musi mieścić się w ramach uśrednionych treningów publikowanych w przeróżnych źródłach. Pamiętaj, że tylko Ty znasz swój organizm, z czasem będziesz go poznawał coraz lepiej. Na początku warto słuchać rad bardziej doświadczonych biegaczy, chociażby po to, żeby nie powielać ich błędów.

Nie samym biegiem...

Trening biegacza nie sprowadza się do samego biegania. Pamiętaj o tak zwanym treningu uzupełniającym: rozciąganie powinno być stałym elementem każdego dnia spędzonego w ruchu, zadbaj także o wzmocnienie mięśni brzucha i grzbietu.

Bez względu na to, czy Twoim celem jest zrzucenie paru zbędnych kilogramów, poprawa samopoczucia, czy pokonanie 10 km poniżej godziny, zadanie to będzie trudniejsze w realizacji bez zachowania odpowiedniej, zbilansowanej diety. Jedzenie jest paliwem dla organizmu, a kalorii należy dostarczać mu w miarę potrzeb. Pamiętaj, że teraz są one inne – przecież trenujesz 3 razy w tygodniu.

Kolejne stopnie wtajemniczenia

Jako świadomy biegacz kolejne kroki stawiasz wtedy, kiedy jesteś na nie gotowy. Kiedy mamy już za sobą cykl treningowy, w którym od marszu przeszliśmy do pierwszego zakresu intensywności, kiedy opanowaliśmy też podstawy treningu sprawnościowego, znaczy to, że możemy przejść do drugiego zakresu intensywności. Czyli że trzeba się przygotować na rytmy i podbiegi.

Czym jest drugi zakres? To bieganie w granicach 70–80 procent tętna maksymalnego. Tętno maksymalne zaś to najwyższa liczba uderzeń serca na minutę, jaką możemy osiągnąć (przybliżoną wartość oblicza się tak: 220 minus wiek). Pamiętajmy, że wciąż obowiązują zasady ustalone na początku tego tekstu: zwiększamy obciążenia stopniowo, bez pośpiechu.

PRZYKŁADOWY TRENING BIEGOWY: 2 razy 1,5–2 kilometry z przerwą 5–7 minut.

Trening uzupełniamy tak zwanymi rytmami, czyli naprawdę szybkim biegiem, w okolicach 75–85 procent możliwości organizmu. Pamiętamy przy tym o zachowaniu prawidłowej techniki biegu. Pokonanie kilku odcinków o długości 60–100 metrów pozwoli doskonalić technikę oraz szybkość.

Celem podbiegów jest natomiast zwiększenie siły mięśni. Nie chodzi o to, żeby wspinać się na Giewont. Podbiegi wykonuj z prędkością maksymalną na trasie o małym pochyleniu, równiej nawierzchni i na krótkim odcinku, około 40 metrów. Wkrótce zaobserwujesz poprawę szybkości. Kiedy? Cierpliwości! Liczba powtórzeń, serii, czas przerwy są dla każdego inne. Słuchaj organizmu, a postępy przyjdą same.

Technika

Wspomnieliśmy już o technice biegu, czas poświęcić jej trochę więcej uwagi, bo sposób biegania znacznie wpływa na wysiłek, jaki wkładamy w bieg. Krótko mówiąc: im więcej błędów w technice biegu, tym bardziej się męczymy. Jak uniknąć błędów?

▸ **Patrz przed siebie, a nie pod nogi.**

▸ **Praca ramion ma znaczenie** – powinny poruszać się
w płaszczyźnie równoległej do kierunku biegu: do przodu
i do tyłu, nie zaś w poprzek tułowia. Nie zaciskaj dłoni.

▸ **Trzymaj się prosto** – nie garb się, nie pochylaj do przodu,
nie pozwalaj na rotację tułowia podczas biegu. Od pozycji
tułowia zależy też utrzymanie bioder w osi ciała.

▸ **Unoś kolana równo, lecz nie za wysoko.** Przed Tobą długi dystans
i nie zdołasz biec przez cały czas, stukając się kolanami w brodę.

▸ **Stopa ląduje na śródstopiu**, przetacza się na palce,
a następnie mocno odbija od podłoża.

Rozgrzewka

Technikę mamy opanowaną, przejdźmy więc do rozgrzewki. Dlaczego o niej dopiero teraz? Bo im więcej biegamy, im bardziej jesteśmy zaawansowani, tym częściej o rozgrzewce zapominamy. Ulegamy złudzeniu, że nasze organizmy są już przyzwyczajone do wysiłku i zawsze na niego gotowe. To błąd, który może nas drogo kosztować. Podstawową zasadą biegania jest uniknięcie kontuzji. Żeby zminimalizować jej ryzyko, układ kostno-mięśniowo-stawowy musi być solidnie przygotowany do podjęcia wysiłku. Rozgrzewka to konieczność, i to za każdym razem. Im bardziej wszechstronna, tym lepiej. Bo wówczas więcej mięśni i stawów będzie przygotowanych do wytężonej pracy. Poza tym różnorodne ćwiczenia urozmaicą nam trening – to ważne, zwłaszcza gdy mamy w planach długie kilometry do wybiegania.

Oddech

WDECH → 3 KROKI → WYDECH → 3 KROKI... Początkujący biegacze nierzadko zmagają się z zasłyszaną gdzieś poradą, aby oddychać nosem. Nic dziwnego, że niektórzy rezygnują z biegania. Tych, którzy mimo wszystko się nie poddali, pocieszamy – to mit! Ktokolwiek takich rad udziela (może mistrzowie jogi?) pewnie ma rację, że w codziennym, spokojnym życiu korzystniej jest oddychać przez nos. Jednak podczas biegania potrzebujemy tlenu, tlenu i jeszcze raz tlenu. I powinniśmy go czerpać wszelkimi dostępnymi drogami: ustami, nosem, skórą, choćby i uszami, jeśli ktoś potrafi. Tak się składa, że ze wszystkich tych dróg najefektywniejsze są usta.

Kolejny mit: oddychanie ustami w okresie zimowym spowoduje chorobę gardła. Oczywiście, przy silnych mrozach bieganie zaczyna sprawiać problem, bez względu na to, czy wciągamy powietrze ustami, czy nosem. Wtedy po prostu nie należy biegać (w każdym razie w odkrytym terenie). Najniższa temperatura, w jakiej zalecane jest długie bieganie (powyżej godziny), to minus 15 stopni, a krótkie przebieżki można sobie zafundować nawet do minus 18 stopni – poniżej tej granicy biegania nie polecamy.

REASUMUJĄC: BIEGANIE TO TAKI TYP AKTYWNOŚCI, GDZIE NIE TYLKO NALEŻY, ALE **TRZEBA ODDYCHAĆ USTAMI**. A MITY NAJLEPIEJ MIAŁY SIĘ W ANTYCZNEJ GRECJI, NA TRENINGU NIE MA NA NIE MIEJSCA.

*Codziennie wybierasz,
jak chcesz żyć teraz i jutro,
i jak będzie funkcjonował
Twój organizm
za 5, 10 czy 20 lat.*

CZAS NA PODSUMOWANIE

Postaram się przedstawić w punktach zestaw zasad, które
pozwalają nam na budowę trzech filarów zdrowego życia.
Przeczytaj te rady i dobrze się zastanów, jak wyglądałoby
przestrzeganie ich przez Ciebie. To są zasady proponowane
i przestrzegane przeze mnie. Opracowałam je na podstawie
swojej wiedzy, obserwacji siebie i innych, korzystałam
z doświadczeń ludzi, których uważam za mądrych.

Poniższe zasady to pewna podstawa, rodzaj bazy. Ale każdy z nas jest inny.
Mamy różne doświadczenia, nawyki, płeć, wzrost, wagę, typ metaboliczny, temperament, skłonności, geny. Dlatego zasady dobre dla mnie
mogą w szczegółach różnić się od zasad dobrych dla Ciebie. Obserwuj swoje ciało
i swoje samopoczucie. Słuchaj sygnałów, które wysyła Ci organizm, kiedy broni
się przed szkodliwym dla Ciebie jedzeniem lub przed aktywnością, która jest
dla Ciebie niekorzystna. Reaguj, gdy ciało lub psychika zgłasza przemęczenie.
Poszerzaj swoją wiedzę. I trwaj w swoich postanowieniach.

Zasady zdrowego życia

Odżywianie

PODSTAWĄ JEST RÓŻNORODNOŚĆ

Niech Twoje tygodniowe menu zawiera jak najwięcej zdrowych, ale różnych produktów. Wtedy będziesz mieć pewność, że dostarczasz organizmowi wszystkie składniki potrzebne mu do funkcjonowania.
Codziennie dostarczaj organizmowi białka, węglowodany i zdrowe tłuszcze oraz jak najwięcej warzyw.

→ **Posiłki węglowodanowe** jedz w pierwszej połowie dnia, dostarczą Ci energii.

→ **Owoce** staraj się jeść osobno, raczej w pierwszej połowie dnia.

→ **Posiłki białkowe** jedz w drugiej połowie dnia, dostarczą Ci budulca.

→ Staraj się jeść tak: węglowodany + warzywa, białko + warzywa. Jeśli chleb, to z masłem i ogórkiem, ale bez sera lub mięsa.

→ Jedz raczej więcej mniejszych posiłków.

→ **Staraj się jeść regularnie.** Organizm, któremu dostarczysz pokarm w określonych porach (co 2–4 godziny) ureguluje metabolizm i nie będzie robił zapasów tłuszczu na czas bez jedzenia.

→ Korzystaj z produktów sezonowych, bo mają najwięcej wartości odżywczych i są niedrogie.

→ Jedz tylko takie produkty, które Ci służą, odmawiaj jedzenia takich, które Ci szkodzą.

→ **WYKLUCZ Z DIETY ŻYWNOŚĆ WYSOKO PRZETWORZONĄ.**

→ Wyklucz z diety cukier.

→ Ogranicz spożycie pszenicy.

→ Ogranicz spożycie soli.

→ **OGRANICZ SPOŻYCIE PRODUKTÓW Z KROWIEGO MLEKA.**

→ Włącz do diety orzechy, pestki i nasiona.

- → Dbaj o właściwe przechowywanie produktów.
- → Dbaj o właściwe przygotowywanie posiłków.
- → Dbaj o higienę w kuchni.
- → Dbaj o nawodnienie organizmu, pij przynajmniej dwa litry wody dziennie, część płynów mogą stanowić herbaty ziołowe.
- → Nie popijaj posiłków, pij przynajmniej 30 minut przed posiłkiem i 30 minut po jego skończeniu.
- → Nie przejadaj się, staraj się kończyć posiłek, zanim pojawi się uczucie sytości.
- → **NIE JEDZ MIĘDZY POSIŁKAMI.**
- → Silną wolę miej już w sklepie, nie będziesz ze sobą walczyć po otwarciu szafki lub lodówki.
- → Produkty spożywcze kupuj planowo i najlepiej wtedy, kiedy nie odczuwasz głodu.

- → Nie bój się tłuszczu – roślinne tłuszcze są zdrowe i niezbędne.
- → Surowe warzywa łącz z tłuszczem.
- → Zrezygnuj z deserów. Deser kojarzy się ze słodkim jedzonym po obiedzie, więc najlepiej się od niego odzwyczaić. **Jeśli już masz zjeść deser, zrób to przed obiadem.**
- → Słodycze dawkuj sobie ostrożnie i zawsze w zdrowej postaci. Nie kupuj gotowych słodyczy – zawierają bardzo szkodliwe składniki w najgorszych połączeniach.
- → Zimą dbaj o dogrzanie organizmu, jedz dużo warzyw korzeniowych, ciepłe posiłki, używaj rozgrzewających przypraw.
- → Używaj ziół jako przypraw i w formie naparów.

→ **JEDZ POWOLI, GRYŹ I ŻUJ BARDZO DOKŁADNIE – TO WAŻNE!**

Jedzenie ma być smaczne!

Aktywność fizyczna

→ **Treningi** (minimum 3 w tygodniu) wpisz sobie na stałe w tygodniowy rozkład zajęć.

→ **Wybierz różne formy aktywności fizycznej.** Najłatwiej o to jest w klubie fitness oferującym różne rodzaje treningu. Ale jeśli ćwiczy się w domu lub plenerze, też można zadbać o różnorodność. To ważne, by rozruszać i rozwijać wszystkie grupy mięśni.

→ Staraj się też urozmaicić rodzaje treningów, rób cardio, rób ćwiczenia siłowe, ale stawiaj na trening ogólnorozwojowy. **Doskonały jest trening funkcjonalny** – pomaga w życiu codziennym

→ **STARAJ SIĘ DBAĆ O KRĘGOSŁUP.** Przynajmniej jeden trening w tygodniu poświęć na jogę, pilates, pływanie, trening stabilizacyjny lub inne formy ćwiczeń, które kładą nacisk na gimnastykę kręgosłupa i dbałość o utrzymujące go mięśnie. Bardzo wiele schorzeń i cierpień w wieku powyżej średniego spowodowanych jest zaniedbaniem kręgosłupa. A to nie tylko główny element naszego szkieletu, lecz także istotna część układu nerwowego oraz energetycznego.

→ Wybierz formy aktywności, które dają Ci radość. Jest w czym wybierać!

→ Jeśli dopiero zaczynasz lub masz za sobą długą przerwę – **przyzwyczajaj organizm powoli do wysiłku**. Rzucanie się na głęboką wodę może Cię zniechęcić i zaszkodzić Twojemu zdrowiu. Zaplanuj sobie SPOKOJNE wchodzenie w stały cykl treningów. Nie zakładaj, że po tygodniu będziesz swobodnie biegać i stracisz 2 kilogramy.

→ **NIE BÓJ SIĘ WYSIŁKU.** Umysł stwarza niektórym takie lęki – to naturalne. Ale to pułapka, z której można wyjść. Z czasem polubisz sport, to nieuniknione, tylko przetrwaj pierwszy, trudny okres.

→ **NIE BÓJ SIĘ BÓLU.** Jeśli w trakcie treningu bardzo boli – przerwij ćwiczenia. Niewielki ból mięśni, które starasz się rozruszać, czasem będzie się pojawiał, ale jeśli zadbasz o rozciąganie – wyeliminujesz to.

→ Rób uczciwie ćwiczenia rozciągające po KAŻDYM treningu. Rozciąganie pozwala zregenerować mięśnie oraz uniknąć kontuzji. Poprawi też gibkość ciała i jego sprężystość.

→ **RÓB OGÓLNĄ ROZGRZEWKĘ PRZED KAŻDYM TRENINGIEM.**

→ Po jednorodnych treningach, takich jak bieg czy jazda na rowerze, także rozciągnij mięśnie.

→ ĆWICZ CO NAJMNIEJ PÓŁ GODZINY PO POSIŁKU.

→ Jeśli ćwiczysz rano, przed pójściem do pracy lub szkoły – możesz trenować na czczo, po wypiciu szklanki ciepłej wody lub wywaru z siemienia lnianego. Śniadanie (węglowodanowe) zjedz po wyjściu spod prysznica.

→ Jeśli ćwiczysz wieczorem, a po treningu jesteś głodny – zjedz lekki i nieduży białkowy posiłek, np. rybę z warzywami na ciepło.

→ NAWADNIAJ ORGANIZM W TRAKCIE I PO TRENINGU.

→ Aby uniknąć zakwasów po treningu, pod prysznicem naprzemiennie używaj ciepłej i zimnej wody. Zakończ ciepłą.

→ Zadbaj o wygodny i odpowiedni strój do ćwiczeń, zwłaszcza obuwie.

→ Ćwicz w przewietrzonym pomieszczeniu.

→ **W trakcie treningu traktuj oddech jako jego integralną część.** Pytaj instruktora, jak oddychać, a jeśli instruktora nie masz – korzystaj z materiałów filmowych lub opisowych, w których jest to przejrzyście wyjaśnione.

→ Stawiaj na jakość, a nie na ilość ćwiczeń. Najważniejsza jest prawidłowość wykonywania ćwiczenia. 30 machnięć nogą nie da żadnego efektu, jeśli nie skupisz się na prawidłowej postawie, pracy mięśni nogi w czasie jej podnoszenia itd.

→ W trakcie treningu **SKUP SIĘ** na ćwiczeniach. Ćwicz spokojnie, nie spiesz się, jeśli nie wymaga tego rodzaj treningu.

→ Jeśli spodobały Ci się ćwiczenia z jakiegoś materiału filmowego, ale trener wykonuje je w tempie zbyt szybkim dla Ciebie – zapamiętaj je i wykonaj wolniej, zamiast się poddawać i mówić „to nie dla mnie".

→ STAWIAJ SOBIE NOWE CELE TRENINGOWE, REALNE!

→ Nie przejmuj się opiniami innych na temat Twoich treningów, Twojego wyglądu, Twojej kondycji. Ty też nie oceniaj innych i nie porównuj się z nikim. Twój cel podstawowy: być jutro lepszym niż dziś.

→ Nie mierz efektów treningów masą ciała, a jeśli już musisz mieć jakieś wymierne skutki – zwróć uwagę na obwody. Dużo radości daje coraz lepsza kondycja, siła i giętkość.

TRENUJ MĄDRZE – ZGODNIE ZE SWOJĄ KONDYCJĄ I MOŻLIWOŚCIAMI PSYCHICZNYMI, ALE NIE ROZCZULAJ SIĘ NAD SOBĄ!

Równowaga psychiczna

Jeśli jesteś od czegoś uzależniony (alkohol, papierosy, niezdrowe jedzenie, praca, gry itd.) – jak najszybciej udaj się na leczenie lub spróbuj sam z tego wyjść. Jeśli coś oprócz Ciebie rządzi Twoim życiem – nie ma mowy o harmonii. Używki dodatkowo wykluczają możliwość trwania w zdrowiu. Jeśli uważasz, że „możesz skończyć z tym w każdej chwili", to skończ w tej chwili, w której to czytasz. Jeśli się nie udało – poszukaj pomocy. Nie tłumacz się sam przed sobą, że „wszystko jest dla ludzi", bo to po prostu nieprawda.

→ **KAŻDEGO DNIA ZNAJDŹ CZAS TYLKO DLA SIEBIE I ODWAŻ SIĘ ZE SOBĄ POBYĆ. ZASTANÓW SIĘ NAD SOBĄ I POROZMAWIAJ ZE SOBĄ.**

→ **Przemyśl, jakie są proporcje różnych aktywności w Twoim codziennym życiu.** Jeśli np. opieka nad dziećmi pochłania tyle czasu, że to Cię przytłacza – spróbuj znaleźć wyjście z sytuacji: inny podział obowiązków między dorosłymi, może czasem ktoś z zewnątrz do opieki, bo zasługujesz na odpoczynek.

→ Spokojnie zastanów się, czy praca nie zajmuje Ci zbyt wiele czasu. Może warto coś przeorganizować, może da się pracować np. krócej, ale efektywniej, a wygospodarowany czas poświęcić rodzinie lub na sport. Naprawdę sporo osób traci mnóstwo czasu w pracy na bezmyślne gry internetowe itp. To prowadzi do apatii.

→ Zadbaj o odpowiednio długi sen o właściwej porze pozwalającej naprawdę wypocząć. To podczas snu organizm się regeneruje i odbudowuje tkanki. Jeśli mu tego nie umożliwisz, posypie się jak zaniedbany budynek.

→ Odpoczynek traktuj jako inwestycję w siebie i dbaj o jego regularność. Bierz urlopy i w ich trakcie nie remontuj domu, tylko rzeczywiście daj ciału i psychice odetchnąć.

→ **ZNAJDŹ CODZIENNIE CHWILĘ NA RELAKS.** Połóż się na plecach na podłodze, rozluźnij po kolei wszystkie mięśnie, łącznie z mięśniami twarzy. Idź myślą do każdego fragmentu ciała i uspokajaj go. Poczuj jego ciężar. Leż tak co najmniej 10 minut, nie myśląc o niczym, potem przewróć się na bok i bardzo wolno wstań. Możesz tak kończyć trening.

- → Dbaj o umiarkowaną aktywność sportową – daje ona radość i rozładowuje stres.

- → Dbaj o właściwe odżywianie. W istotny sposób wpływa ono na nastrój i chęć do życia. Np. wiele osób twierdzi, że białe pieczywo i pieczywo cukiernicze powodują u nich apatię i senność w ciągu dnia czy podenerwowanie. **TO PRAWDA!**

- → Nie denerwuj się byle czym, nie warto.

→ JEŚLI CZEGOŚ NIE MOŻESZ ZMIENIĆ – ZAAKCEPTUJ TO.

- → Jeśli kontakt z kimś źle na Ciebie wpływa i możesz zakończyć tę relację – zrób to. Szukaj ludzi, którzy mają dobrą energię, i wymieniaj się nią z nimi.

- → Nie nakręcaj swoich złych emocji. Jeśli się pojawią, rozładuj je w rozmowie z kimś bliskim lub po prostu na treningu.

- → Nie oceniaj innych, bo nie wiesz, jacy oni są, i nie czuj się oceniany. To problemy, które są w Twojej głowie i niczemu dobremu nie służą.

→ NIE PORÓWNUJ SIĘ DO NIKOGO, TYLKO DO SIEBIE Z WCZORAJ.

- → Jeśli z czymś nie dajesz rady, poproś o pomoc; wiele osób tego nie potrafi, a szkoda, to nic uwłaczającego. Odwdzięczysz się, jeśli pomożesz następnym.

- → Nie wszyscy muszą Cię lubić. Naucz się z tym żyć. Ty też nie przepadasz za wszystkimi, prawda? Jesteśmy różni i to jest piękne.

- → **Licz się ze zdaniem ludzi, których uważasz za mądrych**, i spokojnie przyjmuj ich ewentualne krytyczne uwagi o Tobie. To wzbogaca i pomaga się zmieniać na lepsze.

- → Spokojnie i z radością przyjmuj komplementy i znajduj u innych powody do miłych słów, którymi możesz ich obdarzyć.

- → **Uważaj, jeśli walczysz o pieniądze kosztem czasu dla bliskich i siebie, to w pewnym momencie będziesz zarabiać tylko na lekarzy.**

- → Zadbaj o realne i regularne kontakty z innymi ludźmi: rodziną, przyjaciółmi, kolegami. Nie czekaj z nadąsaną miną, aż inni się zgłoszą.

→ ROZWIJAJ SWOJE PASJE.

- → **Stawiaj sobie nowe cele** (zarówno te małe, jak i te duże).

- → **Bądź szczęśliwy** – to jest w Tobie, otwórz się na szczęście.

Uff, sporo tego, a i tak to nie wszystko. Ale myślę, że widać ogólny kierunek, a szczegóły i tak przecież dogracie sami.

Badania profilaktyczne

Regularne badania to podstawa dbałości o własne zdrowie. Niestety, nadal bardzo wielu z nas chodzi do lekarza tylko wtedy, gdy coś nas boli. Wyniki badań odbiegające od przyjętych norm nie muszą wskazywać od razu na chorobę, ale będą istotnym sygnałem o zagrożeniu, które można będzie wyeliminować przez właściwe postępowanie, m.in. zastosowanie odpowiedniej diety lub suplementacji. Wiele groźnych chorób przebiega w początkowych stadiach bezobjawowo, a właśnie dzięki badaniom można je wykryć w fazie gwarantującej pełny powrót do zdrowia.

Niestety, nadal bardzo wiele osób nawet nie rozważa zrobienia badań. Przychodnie zdrowia, wbrew ich nazwie, kojarzone są tylko z chorobami, a pójście do lekarza po skierowanie na badania uważa się za stratę czasu. Część osób udaje przed sobą, że „skoro nie wiem o chorobie, to jej nie ma". Inni uważają się wręcz za bohaterów, bo „tyle lat nie byli u lekarza". Kultura dbania o zdrowie wciąż jest w fazie dorastania, jednak mam nadzieję, że już niedługo robienie regularnych badań stanie się normą wpisaną w grafik każdej rodziny. Tu wiele do zrobienia mają młodzi, którzy mogą namówić rodziców i dziadków do profilaktyki.

NIE WOLNO TRAKTOWAĆ BADAŃ JAKO STRATY CZASU, BO TO INWESTYCJA W SIEBIE I BLISKICH. LEPIEJ POŚWIĘCIĆ JEDEN RANEK NA WIZYTĘ W LABORATORIUM NIŻ, NARAŻAĆ SIĘ NA EWENTUALNE CIERPIENIA I WYDATKI ZWIĄZANE Z CHOROBAMI.

▸ **RAZ W ROKU** – podstawowe badania krwi i moczu.

▸ **RAZ W ROKU** – analiza pierwiastkowa włosów.

▸ **RAZ NA PÓŁ ROKU** – kontrola u stomatologa.

▸ Kobiety: **RAZ W ROKU** badanie ginekologiczne + cytologia.

▸ Kobiety: **SYSTEMATYCZNE** samobadanie piersi, po 25. roku życia – USG, a po 40. roku życia – mammografia raz w roku.

▸ Mężczyźni po 50. roku życia: kontrole u urologa i badanie prostaty.

▸ Po 30. roku życia: **COROCZNA** kontrola wzroku (m.in. badanie ciśnienia śródgałkowego, dna oka, pola widzenia), nawet jeśli nie mamy kłopotów z widzeniem.

▸ Po 35. roku życia: **RAZ NA 2 LATA** – EKG.

▸ U byłych i aktualnych palaczy: **RAZ W ROKU** – RTG płuc (nie ma wymówek: jeśli nie robisz badań, bo boisz się diagnozy, to przede wszystkim rzuć palenie i daj sobie szansę na leczenie, jeśli diagnoza byłaby niedobra).

▸ **CO KILKA LAT** – USG jamy brzusznej.

Z wiekiem rośnie liczba koniecznych badań profilaktycznych, ale nadal czas, jaki na nie poświęcimy, to nic w porównaniu z korzyściami, jakie mogą nam dać. Nie należy popadać w przesadę i doszukiwać się chorób na siłę. Ale warto obserwować swój organizm i nie lekceważyć sygnałów alarmowych, jakie nam wysyła. Czasem wystarczy delikatna zmiana diety, by wszystko wróciło do normy, jednak zaniedbanie może doprowadzić do poważnych schorzeń.

PODZIĘKOWANIA

Chciałabym podziękować moim Bliskim, osobom które zawsze były, są i będą najważniejsze w moim życiu.

Dziękuję mojej Mamie, **Marii Stachurskiej**, za opiekę, troskę, bycie życiowym drogowskazem :) Za to, że zawsze była z nami!

Dziękuję mojemu mężowi, **Robertowi**, za miłość i przyjaźń, za każdy miniony dzień i za te, co jeszcze przed nami!

Dziękuję Bratu, **Piotrkowi Stachurskiemu**, za wsparcie, porady… i za dojrzałość młodszego brata.

Dziękuję mojemu trenerowi, senseiowi **Jerzemu Szcząchorowi**, który jest dla mnie jak tata. Dziękuję za zaufanie, cierpliwość i wiarę, za wszystkie mądre i życiowe rozmowy.

Dziękuję mojej przyjaciółce, **Oli Dec**, za przyjaźń, wsparcie, szczerość, za to, że jest i zawsze była przy mnie!

Ania

Bibliografia

1. *Żywienie człowieka*. Podstawy *nauki o żywieniu* pod redakcją Jana Gawęckiego, Wydawnictwo Naukowe PWN, 2012 (podstawa do rozdziałów o układzie pokarmowym i składnikach żywności)
2. T. Colin Campbell, Thomas M. Cambell II, *Nowoczesne zasady odżywiania*, Wydawnictwo Galaktyka, 2011
3. Michał Tombak, *Jak żyć długo i zdrowo*, Wydawnictwo Galaktyka, 2010
4. Donna Gates, Linda Schatz, *Ekologia ciała*, Wydawnictwo Vital, 2013
5. Scott Jurek, *Jedz i biegaj*, Wydawnictwo Galaktyka, 2012
6. Lewis G. Maharam, *Biegaj zdrowo*, Inne Spacery, 2013
7. William Davis, *Kuchnia bez pszenicy*, Bukowy Las, 2013
8. Paul Martin, *Umysł, który szkodzi. Mózg, zachowanie, odporność i choroba*, Wydawnictwo Muza S.A, 2011
9. Ewa Dąbrowska, *Przywracać zdrowie żywieniem*, Michalineum 2006
10. Judi Hollis, *Nadwaga jest sprawą rodziny*, Gdańskie Wydawnictwo Psychologiczne, 2000
11. John Briffa, *Zdrowa żywność*, Bellona, 2000
12. Aleksandra Łuszczyńska, *Zmiana zachowań zdrowotnych. Dlaczego dobre chęci nie wystarczą?* Gdańskie Wydawnictwo Psychologiczne, 2004
13. Paul Pitchford, *Odżywianie dla zdrowia*, Wydawnictwo Galaktyka, 2008
14. Andrzej Janus, *Nie daj się zjeść grzybom Candida*, Wydawnictwo IPS, 2011
15. Andrzej Janus, *Postaw na zdrowie*, Wydawnictwo IPS, 2012
16. Daniel Goleman, *Emocje destrukcyjne. Jak możemy je przezwyciężyć*, Rebis, 2003
17. Charles Duhigg, *Siła nawyku*, Dom Wydawniczy PWN, 2013
18. James O. Prochaska, John C. Norcross, Carlo C. DiClemente, Andrzej Mularczyk, *Zmiana na dobre: rewolucyjny program zmiany w sześciu stadiach, który pomoże ci przezwyciężyć złe nawyki i nada twojemu życiu właściwy kierunek*, Instytut Amity, 2008
19. Ursula Summ, *Dieta rozdzielna*, Klub dla Ciebie, 2005
20. Marzanna Radziszewska-Konopka, artykuły w dzielnicarodzica.pl
21. Andrzej Grzelak, *Podstawowe zasady treningu zdrowotnego* w mp.pl
22. Ewa Ziemann, *Metodyka nauczania ruchu*
23. Wojciech Drygas, Karolina Kucharczyk, Joanna Ruszkowska, *Trening zdrowotny w profilaktyce i leczeniu otyłości* w dieta.mp.pl
24. Paula Radcliffe, *Sztuka biegania*, Bukowy Las, 2013
25. Wojciech Eichelberger, *Elementarz Wojciecha Eichelbergera dla kobiety i mężczyzny*, Wydawnictwo Literackie 2001